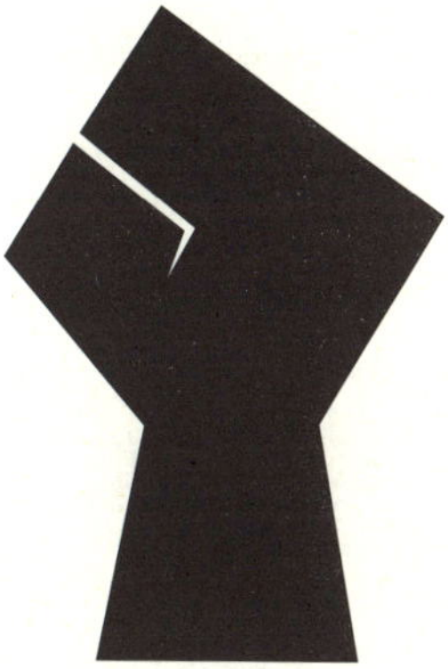

"ESTA É A VIGÉSIMA SÉTIMA VEZ QUE SOU PRESO E NÃO VOU MAIS PARA A CADEIA! A ÚNICA MANEIRA DE IMPEDIR QUE HOMENS BRANCOS NOS ESPANQUEM É ASSUMINDO O CONTROLE. ESTAMOS GRITANDO LIBERDADE HÁ SEIS ANOS E NÃO RECEBEMOS NADA. O QUE VAMOS COMEÇAR A DIZER AGORA É PODER NEGRO!*"

Stokely Carmichael
16 de junho de 1966
Greenwood, Mississippi

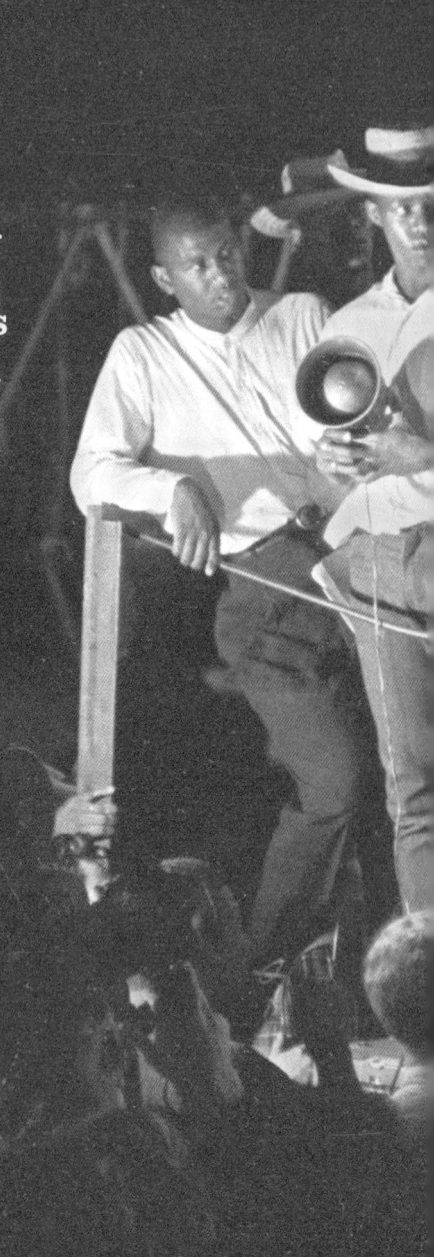

Imagem gentilmente cedida por Bob Fitch Photography Archive, Department of Special Collections, Stanford University Libraries

* **Nota da editora:** Optamos por não traduzir o termo Black Power no título da obra, por ser o nome do movimento, mas, em todo o livro, exceto no prefácio da edição brasileira, traduzimos Black Power para Poder Negro a fim de deixar a leitura mais fluida.

Kwame Ture
anteriormente conhecido como
Stokely Carmichael

&

Charles V. Hamilton

Black Power
A Política de Libertação nos Estados Unidos

TRADUÇÃO
Arivaldo Santos de Souza

SUELI CARNEIRO   jandaíra

"Posfácio, 1992" por Kwame Ture Copyright © Kwame Ture, 1992
"Posfácio, 1992" por Charles V. Hamilton
Copyright © Charles V. Hamilton, 1992
Copyright © Stokely Carmichael e Charles Hamilton, 1967

Título original
Black Power: The Politics of Liberation in America

Todos os direitos reservados à Editora Jandaíra, uma marca da Pólen Produção Editorial Ltda., e protegidos pela Lei 9.610, de 19/02/1998.

É proibida a reprodução total ou parcial sem a expressa anuência da editora.

Este livro foi revisado segundo o Novo Acordo Ortográfico da Língua Portuguesa.

DIREÇÃO EDITORIAL
Lizandra Magon de Almeida

COORDENAÇÃO EDITORIAL
Camilla Savoia

COPIDESQUE
Victória Lane Silva

REVISÃO
Rafael Simeão

CAPA
Geison Geraldo

PROJETO GRÁFICO
E DIAGRAMAÇÃO
Guilherme Costa

Dados Internacionais de Catalogação na Publicação (CIP)
Maria Helena Ferreira Xavier da Silva/Bibliotecária CRB-7/568

Ture, Kwame (anteriormente conhecido como Stokely Carmichael) e Hamilton, Charles V.
C287p   Black Power : a Política de Libertação nos Estados Unidos / com subsequentes dos autores Kwame Ture e Charles V. Hamilton. ; tradução Arivaldo Santos de Souza. – São Paulo: Jandaíra, 2021.
256 p. ; 21 cm.

Título original em inglês: Black Power: The Politics of Liberation in America
ISBN 978-65-87113-38-8

1. Poder negro. 2. Discriminação Racial. 3. Direitos e garantias individuais. 4. Afro-americanos - Política e governo. 5. Afro-americanos – Direitos Civis. I. Hamilton, Charles V. II. Souza, Arivaldo, trad. III. Título.

CDD 372.64

Número de Controle: 00012

jandaíra

Rua Vergueiro, 2087 cj. 306 • 04101-000 • São Paulo, SP
11 3062-7909   editorajandaira.com.br
Editora Jandaíra   @editorajandaira

SUELI CARNEIRO

Este livro é dedicado a nossas mães, sra. Mabel Carmichael (carinhosamente conhecida como May Charles) e sra. Viola White, e a todas as mães negras que se esforçaram por séculos para que esta geração pudesse lutar por poder negro.

Nossos agradecimentos ao Ivanhoe Donaldson, que fez uma grande contribuição no capítulo VII, ao Comitê de Coordenação Estudantil Não Violenta (SNCC) e a todas as pessoas na luta com quem trabalhamos, por sua ajuda, seus *insights* e sua força na formação e articulação das ideias apresentadas neste livro.

**dos autores,
1992**

Nossos caminhos tomaram rumos diferentes nos vinte e cinco anos desde a publicação deste livro em 1967. Mas nosso compromisso com a luta política de nosso povo na África e ao redor do mundo permaneceu consistente.

De fato, um de nós (Kwame Ture) começou a organizar o Partido Revolucionário de Todos os Povos Africanos em 1967 e tornou-se um membro oficialmente reconhecido de seu comitê central quando este foi anunciado publicamente em 1972. Kwame Ture vive na República Popular Revolucionária da Guiné desde 1968. Suas ideias e sua compreensão da luta pelo Pan-Africanismo sob o governo socialista do seu partido foram aguçadas por seu trabalho e estudo com Kwame Nkrumah, copresidente da República Popular Revolucionária da Guiné, e com o presidente guineense Sekou Touré antes deles morrerem. Já Charles V. Hamilton, desde 1969, é professor de Ciência Política na Universidade de Columbia, além de ter escrito vários livros sobre política estadunidense, raça e políticas públicas durante o período.

Muitos leitores têm nos perguntado como nossas opiniões mudaram no decorrer dos anos, se é que mudaram. Certamente esperamos que sim, e os posfácios devem refletir isso a partir de nossas perspectivas e experiências individuais. A partir desses relatos, os leitores podem fazer suas avaliações. Tentamos ser brutalmente honestos sobre nossas respectivas posições, autocríticas e sempre conscientes de que nossas análises e enfatizações serão e devem estar sujeitas à avaliação e à crítica. Não rejeitamos esse escrutínio. Acreditamos que uma compreensão correta da natureza de nossa luta é essencial. E esperamos que nossos pensamentos individuais subsequentes ajudem no processo. Ambos somos muito mais sensíveis às implicações internacionais de nossa luta do que nossa apresentação inicial indicou. Ambos acreditamos que, até que a África seja livre, nenhum africano em nenhum lugar do mundo será livre. Para nós, isso é evidente por si mesmo. Também é evidente que a luta revolucionária por esse objetivo não será detida.

KWAME TURE,
CHARLES V. HAMILTON
Julho de 1992

Este livro apresenta um quadro político e ideológico que representa a última oportunidade razoável para que esta sociedade resolva seus problemas raciais sem uma guerra longa e destrutiva. A ideia de que tal guerra violenta possa ser inevitável não é aqui negada. Mas se houver a mínima chance de evitá-la, a política do Poder Negro, como descrita neste livro, é vista como a única esperança viável.

Stokely Carmichael,
Charles V. Hamilton
Agosto de 1967

conteúdo

prefácio | página 16

prefácio da edição brasileira | página 22
por Bokar Biro Ture

capítulo I | página 32
poder branco: a situação colonial

capítulo II | página 64
poder negro: sua necessidade e substância

capítulo III | página 88
os mitos sobre coalizões

capítulo IV | página 116
democratas do partido da liberdade do mississippi: a falência do establishment

capítulo V | página 128
eleição no cinturão negro: um novo dia tá chegando

capítulo VI | página 152
tuskegee, alabama: a política de deferência

capítulo VII | página 176
dinamite no gueto

capítulo VIII | página 194
a busca por novas formas

posfácio | página 208
cuidando dos nossos assuntos

posfácio, 1992 | página 216
por Kwame Ture

posfácio, 1992 | página 230
por Charles V. Hamilton

referências bibliográficas | página 250

prefácio

Este livro é sobre o porquê, onde e de que maneira os negros nos Estados Unidos devem se unir. É sobre negros cuidando dos seus assuntos — assuntos dos e para os negros. A questão é realmente muito simples: se não o fizermos, enfrentaremos uma contínua sujeição a uma sociedade branca que não tem a intenção de desistir voluntária ou facilmente de sua posição de primazia e autoridade. Se formos bem-sucedidos, exerceremos controle sobre nossas vidas, politicamente, economicamente e psiquicamente. Também contribuiremos para o desenvolvimento de uma sociedade mais ampla e viável; em termos de benefício social final, não há nada de unilateral no movimento para libertar o povo negro.

Não apresentamos neste livro fórmulas prontas para acabar com o racismo. Não oferecemos um modelo; não podemos estabelecer nenhum cronograma para a liberdade. Este não é um manual para o militante; não lhe dirá exatamente como proceder na tomada de decisões do dia a dia. Se tentássemos fazer qualquer uma dessas coisas, nosso livro seria inútil e estaria obsoleto dentro de um ou dois anos, pois as regras são mudadas constantemente. As comunidades negras estão usando diferentes meios, inclusive a rebelião armada, para alcançar seus fins. A partir dessas várias experiências surgem programas. Esta é a nossa experiência: os programas não saem da mente de uma ou duas pessoas como nós, mas do trabalho cotidiano, da interação entre os militantes e as comunidades nas quais trabalham.

Portanto, nosso objetivo é oferecer um quadro de referência. Estamos aqui convocando para um amplo experimento, de acordo com o conceito de Poder Negro, e vamos sugerir algumas diretrizes, alguns exemplos específicos de tais experiências. Começamos com a suposição de que, para obter as respostas corretas, é preciso formular as perguntas certas. A fim de encontrar soluções eficazes, é preciso formular o problema corretamente. Deve-se partir de premissas baseadas na verdade e na realidade, e não em mitos.

Além disso, nosso objetivo é definir e encorajar uma nova consciência entre os negros que nos permitirá avançar em direção a essas respostas e a essas soluções. Essa consciência, que será mais bem definida no capítulo II, pode ser chamada de sentimento de pertença ao povo: orgulho, e não vergonha, da negritude, e uma atitude de responsabilidade fraterna e comunitária entre todas as pessoas negras.

Fazer as perguntas certas, incentivar uma nova consciência e sugerir novas formas que a expresse: esses são os propósitos básicos de nosso livro.

Acontece que há declarações neste livro que a maioria dos brancos e alguns negros prefeririam não ouvir. Toda a questão racial é algo que os Estados Unidos prefeririam não enfrentar de forma honesta e direta. Para alguns, é embaraçoso; para outros, é inconveniente; e para outros, é confuso. Porém, para os negros estadunidenses, conhecê-la e contá-la como ela é e então agir com base nesse conhecimento não deve ser embaraçoso nem inconveniente ou confuso. Essas posturas são luxos para pessoas com tempo a perder, que particularmente não têm nenhum senso de urgência sobre a necessidade de resolver certos problemas sociais sérios. Os negros nos Estados Unidos não têm tempo para jogos recreativos polidos e legais — especialmente quando as vidas dos *seus* filhos estão em jogo. Alguns estadunidenses brancos podem se dar ao luxo de falar suavemente, pisar delicadamente, empregar técnicas de convencimento e adiamento (ou devo dizer esquecimento?). Eles são donos da sociedade. Para os negros, adotar os métodos *deles* para aliviar *nossa* opressão é ridículo. Nós, negros, devemos responder à nossa maneira, nos nossos próprios termos, de uma maneira que se ajuste a nossos temperamentos. As definições de nós mesmos, os papéis que desempenhamos, os objetivos que buscamos são nossa responsabilidade.

É cristalino que a sociedade pode e quer recompensar aqueles indivíduos que não a condenam veementemente — recompensá-los com prestígio, status e benefícios materiais. Mas essas migalhas de cooptação devem ser rejeitadas. O fato mais importante é que, *como povo*, não temos absolutamente nada a perder ao nos recusarmos a participar desses jogos.

Camus e Sartre perguntaram: pode o homem condenar a si mesmo? Podem os brancos, particularmente os brancos liberais, se condenarem? Eles podem parar de culpar os negros e começar a culpar seu próprio sistema? Estão prontos para a vergonha que pode se tornar uma emoção revolucionária? Nós — pessoas negras — descobrimos que eles geralmente não podem se condenar; portanto, o povo negro estadunidense deve fazer isso. (Também oferecemos, no capítulo III deste livro, nossas ideias sobre o que os brancos que querem ajudar podem fazer.)

Qualquer coisa menos do que nitidez, honestidade e contundência perpetua os séculos em que os verdadeiros sentimentos, esperanças e exigências de um povo negro oprimido foram evitados, disfarçados e calados. Exigências sutis e sorrisos hipócritas induzem os Estados Unidos branco a pensarem que tudo está bem e pacífico. Induzem os Estados Unidos branco a pensarem que o caminho e o ritmo escolhidos para lidar com problemas raciais são aceitáveis para as massas de negros estadunidenses. É muito melhor falar de forma contundente e verdadeira. Somente quando o verdadeiro eu, branco ou negro, for exposto, esta sociedade poderá lidar com os problemas a partir de uma posição de lucidez e não a partir de um mal-entendido.

Assim, não temos a intenção de nos engajarmos na linguagem sem sentido e tão comum às discussões sobre raça nos Estados Unidos: "Reconheço que as coisas eram e estão ruins, mas estamos progredindo"; "Reconheço que suas exigências são legítimas, mas não podemos nos apressar. Sociedades estáveis são melhor construídas lentamente"; "Cuidado para não irritar ou afugentar seus aliados brancos; lembre-se, afinal de contas, vocês são apenas dez por cento da população". Rejeitamos essa linguagem e esses pontos de vista, sejam eles expressos por negros ou brancos; deixamos isso para os outros porque não acreditamos que essa retórica seja relevante ou útil.

Em vez disso, sugerimos uma linguagem mais contundente, a de Frederick Douglass (1857), um estadunidense negro que compreendeu a natureza do protesto nesta sociedade:

Aqueles que professam apoio à liberdade, mas depreciam a agitação, são homens que querem colher sem arar o solo; eles querem chuva sem trovões e relâmpagos. Querem o oceano sem o rugido terrível de suas muitas águas. [...] O poder não concede nada sem demanda. Nunca concedeu e nunca concederá. Descubra o que qualquer pessoa calmamente se submeterá e você descobrirá a medida exata de injustiça e erro que lhes será imposta, e assim será até que haja combate com palavras ou golpes, ou com ambos. Os limites dos tiranos são prescritos pela resistência daqueles a quem eles oprimem.[1]

Finalmente, deve-se observar que este livro não discute em profundidade a situação internacional, a relação da nossa luta de libertação negra com o restante do mundo. Mas Poder Negro significa que os negros se veem como parte de uma nova força, às vezes chamada de "Terceiro Mundo"; que vemos nossa luta como intimamente relacionada com as lutas de libertação em todo o mundo. Devemos nos unir a essas lutas. Devemos, por exemplo, nos perguntar: quando os negros na África começarem a invadir Joanesburgo, qual será o papel desta nação — e do povo negro daqui? Parece inevitável que esta nação se mova para proteger seus interesses financeiros na África do Sul, o que significa proteger o domínio branco na África do Sul. O povo negro neste país tem então a responsabilidade de se opor, pelo menos para neutralizar, a esse esforço dos Estados Unidos branco.

Esse é apenas um exemplo de muitas dessas situações que já surgiram ao redor do mundo — com mais por vir. Há apenas um lugar para os negros estadunidenses nessas lutas — e é ao lado do Terceiro Mundo. Frantz Fanon (1963), em *The Wretched of the Earth* [Os Condenados da Terra], expõe de forma nítida as razões para isso e a relação entre o conceito chamado Poder Negro e o conceito de uma nova força no mundo:

---

1. Discurso "West India Emancipation" [Emancipação da Índia Ocidental, em tradução livre], pronunciado em Nova York, agosto de 1857.

Vamos decidir não imitar a Europa; vamos tentar criar o homem inteiro, o qual a Europa tem sido incapaz de fazê-lo nascer triunfante.

Há dois séculos, uma antiga colônia europeia decidiu alcançar a Europa. O sucesso foi tão grande que os Estados Unidos da América se tornaram um monstro, no qual as máculas, enfermidade e desumanidade da Europa alcançaram dimensões terríveis. [...]

O Terceiro Mundo encara hoje a Europa como uma massa colossal cujo objetivo deveria ser tentar resolver os problemas para os quais a Europa não foi capaz de encontrar as respostas. [...]

É uma questão do Terceiro Mundo começar uma nova história do Homem, uma história que levará em conta as teses por vezes prodigiosas que a Europa apresentou, mas que também não esquecerá os crimes da Europa, dos quais o mais horrível foi cometido no coração do homem, consistindo no despedaçamento patológico de suas funções e na desintegração de sua unidade.

Não, não se trata de um retorno à natureza. É simplesmente uma questão muito concreta de não arrastar os homens para a sua mutilação, de não impor ao cérebro ritmos que muito rapidamente o obliteram e arruínam. O pretexto de alcançar a Europa não deve ser usado para dizer ao homem o que deve ser feito, para afastá-lo de si mesmo ou de sua privacidade, para quebrá-lo e assassiná-lo.

Não, nós não queremos alcançar ninguém. O que queremos fazer é ir adiante o tempo todo, noite e dia, na companhia do Homem, na companhia de todos os homens [...]. (FANON, 1963, pp. 253-255)

prefácio da edição brasileira

por
Bokar Biro Ture

Este livro se mantém como um símbolo da juventude e da autoconfiança do movimento Black Power, que elevou a luta por direitos civis nos Estados Unidos e inspirou movimentos de libertação em todo o mundo. No fim dos anos 1960 e 1970, os ativistas do Black Power impulsionaram uma nova consciência coletiva que unia lutas globais por meio de visões anticoloniais, anti-imperialistas e pan-africanas. O Black Power acentuou o orgulho de se ter a pele mais escura e o cabelo natural como uma celebração estética da beleza negra.

Realmente, as instituições ligadas ao Black Power trouxeram à tona níveis históricos de organização e representação política para afrodescendentes. Foi também uma era que fez surgir um dos períodos de melhor resultado econômico para comunidades negras, em todo o mundo, ainda a ser ultrapassado.

Por mais que haja muito trabalho a ser feito para atingir os objetivos sociopolíticos e econômicos do Black Power, vislumbramos que a tradução para o português de *Black Power: The Politics of Liberation in America* [Black Power: a Política de Libertação nos Estados Unidos] transforma e empodera ainda mais os afrodescendentes nas regiões lusófonas da diáspora africana. Esperamos que a articulação visionária de consciência de grupo e a organização deste livro intensifiquem as mudanças no mundo lusófono, especialmente no Brasil, com sua população numerosa e sem paralelo entre os descendentes de africanos.

O atual Black Lives Matter (BLM) sucedeu o Black Power das gerações anteriores ao desafiar a violência de Estado e, em menor extensão, o pernicioso obstáculo que é o "racismo institucional" – um termo que este livro cunhou e instituiu no léxico geral. O uso atual das mídias sociais é uma ferramenta poderosa, mas também é, apesar disso, um substituto para as organizações políticas consistentes.

Escrito pelo ativista dos direitos civis e pan-africanista Kwame Ture, mais conhecido como Stokely Carmichael, e o cientista político Charles V. Hamilton, este livro define o conceito de Black Power "como um chamado para pessoas negras se unirem, reconhecerem sua herança e construírem uma noção de comunidade. É um chamado para que as pessoas negras definam suas próprias metas e liderem suas próprias organizações".

Black Power envolveu uma gama diversa de organizações e seus submovimentos, tais como o movimento de artistas negros e o movimento estudantil negro, o que influenciava tudo o que se referia a consciência cultural: escolas independentes para crianças e Estudos Negros em séries mais avançadas, políticas local, nacional e internacional, além do desenvolvimento econômico. Foi um movimento que inspirou outros grupos marginalizados em todo o mundo, trouxe mudanças políticas fundamentais para o Caribe e a Grã-Bretanha e cultivou solidariedade internacional com lutas socialistas e anticolonialistas.

Porém é importante observar que *Black Power* foi escrito antes da eclosão do movimento em nível internacional e antes da evolução ideológica de Kwame Ture no sentido do Pan-Africanismo e da revolução. Dos anos 1970 até sua morte em 1998 na Guiné, África, Kwame Ture permaneceu comprometido com a promoção de uma África socialista unificada, capaz de libertar as pessoas negras de todo o mundo, capaz de esmagar a supremacia branca e a opressão baseada no capitalismo.

Nascido na ilha caribenha de Trinidad e criado nos Estados Unidos, Kwame Ture fez parte dos protestos não violentos do movimento de direitos civis para acabar com a segregação racial. Como membro e mais tarde diretor do Student Nonviolent Coordinating Committee [Comitê de Coordenação Estudantil Não Violenta] (SNCC), se uniu a estrategistas-chave do movimento de direitos civis, tais como Ella Baker, Fannie Lou Hamer e Martin Luther King Jr., e por fim se tornaria uma de suas figuras principais. Enfrentando espancamentos brutais e testemunhando mortes impunes de muitos de seus colegas, ao lado de um número cada vez maior de pessoas negras, tornou-se descontente com os fracos e aparentemente ineficientes chamados à mudança. Depois de sua vigésima sétima prisão, em 1966, se colocou à frente de uma multidão de manifestantes no Mississippi e entoou um canto que mudaria para sempre os rumos do movimento de direitos civis. Não satisfeito por implorar direitos humanos básicos, insistiu na exigência de "Poder Negro". Seria o prenúncio de um novo movimento, inspirado por Malcolm X e Frantz Fanon, que deslocou o discurso dos direitos civis para a autodeterminação e o poder.

O famoso Black Panther Party for Self Defense [Partido dos Panteras Negras por Autodefesa], que emprestou seu nome e logotipo de um partido político independente que Kwame Ture ajudou a fundar no Alabama – a Lowndes County Freedom Organization [Organização da Liberdade do Condado de Lowndes] –, o convidaria para uma breve, mas sensacional passagem como primeiro-ministro honorário. Uma viagem transformadora em 1967 apresentou Kwame Ture à revolução global por meio de líderes como Fidel Castro, Ho Chi Minh e Shirley Graham DuBois.

Como o crescente movimento militante, Ture abandonou o reformismo em prol da revolução. Suas atividades ameaçaram o establishment, o que incluiu Lyndon B. Johnson, o presidente estadunidense que pedia relatórios do Federal Bureau of Investigation [Departamento Federal de Investigação] (FBI) "várias vezes por semana". Com a perseguição cada vez maior pela estrutura política e as numerosas tentativas de assassinato que sofreu, Kwame Ture foi convidado a se instalar na Guiné pelos presidentes-fundadores de Gana e Guiné, Kwame Nkrumah e Sekou Touré, respectivamente. Kwame, então, veio a trabalhar com esses estadistas africanos, que se tornariam seus homônimos, e abraçou a ideologia pan-africana como maior expressão política do Black Power.

Depois disso, Kwame Ture liderou o All-African People's Revolutionary Party [Partido Revolucionário do Povo Africano] (AAPRP), proposto por Kwame Nkrumah. No ainda ativo AAPRP e em seus capítulos globais, buscaria elevar a consciência entre países e continentes, com o intuito de organizar a vanguarda de um governo socialista unificado na África. Como convicto socialista internacional, abraçou a luta de classes, a igualdade de gênero e aliou-se a socialistas não negros e a lutas anti-imperialistas em todo o mundo, mais notavelmente como defensor feroz dos direitos palestinos.

A AAPRP organizou o apoio a movimentos de libertação na África e além, como PAIGC, MPLA e FRELIMO, para citar alguns na África Lusófona, assim como uma série de iniciativas pelos direitos humanos e dos povos originários, como o American Indian Movement [Movimento Indígena Americano], entre muitos outros. Arraigado em sua identidade africana, Kwame Ture tentou unir as muitas organizações sociais negras na África, na Europa e nas Américas sob uma frente unida. Essa progressão para um Pan-Africanismo global e revolucionário está mais explícita em sua coleção de discursos intitulada *Stokely Speaks: From Black Power to Pan-Africanism* [Falas de Stokely: do Black Power ao Pan-Africanismo, em tradução livre].

O Kwame Ture dos anos 1980 e 1990 foi muito menos conhecido e atraiu pouca publicidade. Banido em vários países, inclusive o país de seu nascimento, enfrentou uma campanha liderada pelo FBI para silenciá-lo e desacreditá-lo por meio de uma série de mentiras e distorções fabricadas. Ainda assim, continuou a organizar o AAPRP e permanecia incrivelmente consistente enquanto outros, no contexto da Guerra Fria, mudaram. No momento em que alguns o criticavam, outros o elogiavam por seu comprometimento e integridade intransigentes.

Fora da política, Kwame Ture era um homem simples e altruísta, cujo amor pela humanidade e compromisso com o melhor bem-estar para as pessoas negras e pobres permeavam sua vida pessoal. Viveu como um monge cuja religião era a revolução. Não se importava com a riqueza pessoal e material, era muito mais preocupado com os resultados políticos que acabariam com o sofrimento de populações africanas e outras populações oprimidas mundo afora. Estudante brilhante com conquistas acadêmicas que o diferenciavam, recusou uma bolsa de estudos na Universidade de Harvard no início dos anos 1960. Preferiu passar seu tempo trabalhando e aprendendo com os camponeses. Também poderia ter se estabelecido novamente nos Estados Unidos a qualquer momento para uma posição promissora e de destaque e viveu em um bairro pobre na África em uma casa simples que servia como centro comunitário informal às crianças da vizinhança.

Kwame Ture identificava si mesmo e a todos os negros como africanos. Um afro-brasileiro seria simplesmente um africano nascido no Brasil. Assim como Marcus Garvey e outros pan-africanistas, ele entendeu que as pessoas da diáspora africana e da África compartilhavam a mesma herança, a mesma história de opressão e, portanto, a mesma identidade. Ele reconheceu o poder de desenvolver essa identidade, bem como o potencial de uma comunidade africana global unida.

Em *Black Power*, deve-se notar, Kwame Ture utiliza uma concepção de raça que existe amplamente no mundo anglo-saxão, a que segue a regra de uma gota. Raça é definida de forma mais rígida nos Estados Unidos, por exemplo, o que difere dramaticamente da experiência do Brasil com a miscigenação e as tentativas históricas de embranquecer a população. Como resultado, a extensa categorização racial do Brasil, com base em cor da pele e classe, complicou o caminho em direção à identificação coletiva, bem como ao progresso político e econômico para os não brancos. Em *Black Power*, a promulgação de Kwame Ture de uma identidade inclusiva centrada na herança e na origem africanas, portanto, continua a ser uma luta importante para os ativistas nascidos no Brasil travarem. A história provou a recomendação central do livro – para ganhar poder, pessoas com identidades e interesses semelhantes devem cerrar fileiras.

Para combater o privilégio branco no Brasil, bem como o mito da democracia racial, os afrodescendentes devem, juntos, desenvolver, abraçar e manter uma forte consciência coletiva. A prática histórica e sociológica do Brasil de branqueamento, que o defensor da liberdade Abdias Nascimento e muitos outros descreveram como genocídio, não poderia resultar na "democracia racial" de Freyre. Na verdade, estudos após estudos demonstraram que tanto os *pretos* quanto os *pardos* estão quase da mesma forma terrivelmente atrás dos brasileiros brancos ao se considerar qualquer tipo de indicador como educação, emprego e renda. O acúmulo de riqueza pouco fez para embranquecer alguns *pretos* ou *pardos*, uma vez que a discriminação racial no Brasil permanece flagrante em níveis de renda mais elevados. *Pretos* e *pardos* ainda estão fortemente concentrados nos bairros pobres do Brasil e quase ausentes nos mais ricos, mas o mais importante é que tanto *pretos* quanto *pardos* foram excluídos das posições de tomada de decisão. Na verdade, fora dos esportes e do entretenimento, *pretos* e *pardos* permanecem relativamente invisíveis. A história recente também mostra que alegar ser *preto* ou *pardo* não oferece proteção contra os horrores da brutalidade policial.

O Movimento Negro do Brasil trouxe mudanças e esperanças louváveis e positivas, mas a desigualdade racial é abundante. A persistente assunção da superioridade branca e da inferioridade dos africanos implícita no mito da democracia racial deve ser revertida e obliterada nas mentes dos afro-brasileiros. Essa pirâmide racial existente pode começar a ser remodelada ao se corrigir a distorção eurocêntrica da história e da identidade africanas. Os brasileiros de ascendência africana deveriam ter tanto orgulho de sua cor e herança africana quanto muitos de sua herança portuguesa, italiana, japonesa ou libanesa. Afinal, a Dinastia Almorávida, que colonizou e transformou o sul de Portugal e a Espanha por mais de um século, teve origem na África Ocidental junto ao rio Senegal. A própria África é o continente mais geneticamente diverso do mundo, com uma grande variedade de fenótipos e tons de pele. Fatos educacionais como esses, sobre as civilizações da África e o dinamismo e conquistas de seu povo, devem ser difundidos para o maior número possível de comunidades afro-brasileiras, bem além de Salvador e acima de alguns círculos no Dia da Consciência Negra, para criar uma identidade baseada na África libertada.

A Lei 10.639 do Brasil, promulgada para abordar o ensino da história e cultura africana e afro-brasileira, continua muito importante, mas os sistemas de educação pública, tal como existem hoje, só podem ir até certo ponto na destruição de mitos racistas e seus efeitos deletérios na sociedade. Os professores, como a maioria das pessoas, independentemente da cor, geralmente aderem a noções dominantes da supremacia branca, às vezes de forma descarada e outras vezes de forma inconsciente. A responsabilidade recai sobre grupos políticos e culturais independentes em todo o Brasil no sentido de organizar uma luta ideológica que desafie o mito da supremacia branca e da inferioridade negra como um campo de batalha fundamental na luta pelo progresso político e socioeconômico.

Por fim, notamos que *Black Power* aborda os riscos de cooptação por grandes formações políticas e causas aliadas. O Poder Negro emana de e dentro da comunidade, sem dependência. Também alerta contra a confusão de mudanças simbólicas com poder real. A maior representação política das pessoas negras e os ganhos econômicos para algumas delas, conforme criados pelos sistemas de cotas, embora importantes, são transitórios e às vezes podem representar um obstáculo ao progresso coletivo. Mudanças verdadeiras e duradouras não se limitam a poucos na comunidade, mas são inclusivas e abrangentes.

Kwame Ture convocou todos os afrodescendentes a aderirem a qualquer forma de organização que estivesse comprometida com a luta pela justiça social e pela melhoria de nossas comunidades. Essas organizações, bem como outros esforços de colaboração, irão garantir que, no mundo lusófono de amanhã, milhões de mulheres de pele escura nascidas em favelas como Benedita da Silva sejam confiantes e orgulhosas de sua bela pele e cabelo e tenham acesso equitativo a melhores oportunidades. Isso empodera nossas comunidades e, ao fazê-lo, o mundo. Esperamos que este livro inspire esta revolução.

Bokar Biro Ture
Conakry, Guiné
2021

A editora agradece a Hasani Damazio por nos colocar em contato com Bokar Biro Ture, que enriqueceu a obra com este prefácio.

Poder

Negro

poder branco: a situação colonial

I

*Os guetos negros são colônias sociais,
políticas, educacionais e, acima de tudo,
econômicas. Seus habitantes estão subjugados,
vítimas da ganância, da crueldade,
da insensibilidade, da culpa e do medo
dos colonizadores.*

DR. KENNETH B. CLARK,
Dark Ghetto, p. 11.

*Em uma era de descolonização, pode ser
proveitoso considerar o problema do negro
estadunidense como um caso único de
colonialismo, um exemplo de imperialismo
interno, um povo subdesenvolvido em nosso
próprio meio.*

I. F. STONE,
The New York Review of Books
(18 de agosto de 1966), p. 10.

O que é racismo? A palavra tem representado a realidade diária de milhões de negros por séculos, mas raramente é definida — talvez seja porque essa realidade tem sido um lugar-comum. Por "racismo" entendemos o estabelecimento de um padrão de decisões e políticas relacionadas a raça com o objetivo de subordinar um grupo racial e manter o controle sobre esse grupo. Essa tem sido a prática deste país em relação ao homem negro; veremos por que e como.

O racismo é tanto explícito quanto velado. Ele assume duas formas estreitamente relacionadas: indivíduos brancos agindo contra indivíduos negros, e atos da comunidade branca como um todo contra a comunidade negra como um todo. Chamamos isso de racismo individual e de racismo institucional. O primeiro consiste em atos explícitos de indivíduos, que causam a morte, ferimentos ou a destruição violenta de propriedades. Esse tipo pode ser gravado por câmeras de televisão; pode ser observado frequentemente em ações da polícia. O segundo tipo é menos explícito, muito mais sutil, menos identificável em termos de indivíduos específicos cometendo atos. Mas não é menos destrutivo para a vida humana. O segundo tipo tem origem na operação de forças estabelecidas e respeitadas na sociedade e, portanto, recebe muito menos condenação pública do que o primeiro tipo.

Quando terroristas brancos explodem uma bomba em uma igreja negra e matam cinco crianças negras é um ato de racismo individual, amplamente deplorado pela maioria dos segmentos da sociedade. Mas quando naquela mesma cidade — Birmingham, Alabama — morrem anualmente quinhentos bebês negros por falta de alimentos adequados, abrigo e instalações médicas, e outros milhares são destruídos e mutilados física, emocional e intelectualmente devido às condições de pobreza e discriminação na comunidade negra, é uma função do racismo institucional. Quando uma família negra se muda para uma casa em um bairro branco e é apedrejada, queimada ou expulsa do bairro, ela é vítima de um ato de racismo individual explícito que muitas pessoas condenarão — pelo menos com palavras. Mas é o racismo institucional que mantém as pessoas negras trancadas em cortiços nos guetos, vivendo diariamente como presas de proprietários exploradores, comerciantes, agiotas e agentes imobiliários discriminatórios. A sociedade ou finge não conhecer essa última situação ou é de fato incapaz de fazer algo de significativo a respeito. Examinaremos as razões para isso em um momento.

O racismo institucional depende da operação ativa e difusa de atitudes e práticas antinegros. Prevalece um senso de posição superior de um grupo: os brancos são "melhores" que os negros; portanto, os negros devem ser subordinados aos brancos. Essa é uma atitude racista e permeia a sociedade, tanto em nível individual quanto institucional, dissimulada e abertamente.

Indivíduos "respeitáveis" podem se absolver da culpa individual: nunca plantariam uma bomba em uma igreja; nunca apedrejariam uma família negra. Mas continuam a apoiar políticos e instituições que perpetuariam e perpetuam políticas institucionalmente racistas. Assim, os atos notórios de racismo individual podem não caracterizar a sociedade, mas o racismo institucional sim — com o apoio de atitudes veladas e individuais de racismo. Como escreveu Charles Silberman, em *Crisis in Black and White* [Crises em preto e branco],

> o que estamos descobrindo, em suma, é que os Estados Unidos — todo, tanto o Norte como o Sul, o Oeste e o Leste — são uma sociedade racista, de certo modo e até certo ponto, que nos recusamos até agora a admitir, muito menos a enfrentar. [...] A tragédia das relações raciais nos Estados Unidos é que não existe um dilema estadunidense. Os estadunidenses brancos não são dilacerados e torturados pelo conflito entre sua devoção ao credo estadunidense e seu comportamento real. Eles estão perturbados pelo estado atual das relações raciais, com certeza. Mas o que os preocupa não é que a justiça esteja sendo negada, mas que sua paz esteja sendo destruída e seus negócios interrompidos. (SILBERMAN, 1964, pp. 9-10)

Dito de outra forma, não há "dilema estadunidense", porque os negros neste país formam uma colônia, e não é do interesse do poder colonial libertá-los. Os negros são, em termos legais, cidadãos dos Estados Unidos com, em sua maioria, os mesmos direitos *legais* que os outros cidadãos. No entanto, são tratados como sujeitos colonizados em relação à sociedade branca. Assim, o racismo institucional tem outro nome: colonialismo.

Obviamente, a analogia não é perfeita. Normalmente se associa uma colônia com uma região e povos sujeitos à "Pátria Mãe" e separados fisicamente dela. Mas o caso nem sempre é esse; na África do Sul e na Rodésia, negros e brancos habitam o mesmo território — com negros subordinados aos brancos como nas colônias inglesas, francesas, italianas, portuguesas e espanholas. É a relação objetiva que conta, não a retórica (como as constituições que declaram direitos iguais) ou a geografia.

A analogia não é perfeita em outro aspecto. Sob o colonialismo clássico, a colônia é uma fonte de matérias-primas (geralmente agrícolas ou minerais) produzidas a baixo custo que a "Pátria Mãe" transforma em produtos acabados e vende com alto lucro — algumas vezes vende de volta para a própria colônia. As comunidades negras dos Estados Unidos não exportam nada, exceto trabalho humano. Mas será que a diferenciação é mais do que um detalhe técnico? Essencialmente, a colônia africana está vendendo seu trabalho; o produto em si não pertence aos "sujeitos", porque a terra não é deles. Ao mesmo tempo, vejamos o povo negro do Sul: cultivando algodão a US$ 3,00 por uma jornada de dez horas e desse dinheiro comprando roupas de algodão (e alimentos e outros produtos) de fabricantes brancos. Os economistas podem querer discutir esse ponto para sempre; mas a relação objetiva se mantém. Os negros nos Estados Unidos têm uma relação colonial com a sociedade como um todo, uma relação caracterizada pelo racismo institucional. Esse status colonial opera em três áreas — política, econômica e social — que discutiremos uma a uma.

•••

Os colonizados têm suas decisões políticas tomadas pelos colonizadores, e essas decisões são transmitidas diretamente ou por meio de um processo de "governo indireto". Politicamente, as decisões que afetam vidas negras têm sempre sido tomadas por pessoas brancas — pela "estrutura de poder branca". Há algum desgosto por essa sentença, pois ela tende a ignorar ou simplificar demais o fato de que existem muitos centros de poder, muitas forças diferentes tomando decisões. Aqueles que levantam essa objeção apontam para o caráter pluralista do corpo político. Eles frequentemente ignoram o fato de que o pluralismo estadunidense rapidamente se torna uma estrutura monolítica no que diz respeito à raça. Quando confrontados com as exigências do povo negro, a diversidade branca se une e se apresenta em uma frente comum. Isso é especialmente verdadeiro quando o grupo negro aumenta em número:

> [...] uma grande população negra é politicamente tanto um recurso quanto um risco. Uma grande população negra pode não só esperar influenciar os compromissos e o comportamento de um governante, mas também pode esperar despertar o medo de muitos brancos. Quanto maior a população negra, maior a ameaça percebida (aos olhos dos brancos) e, portanto, maior a resistência para a ampliação das leis de direitos civis. (WILSON, 1966, p. 453)

Mais uma vez, os grupos brancos tendem a ver seus interesses de uma forma particularmente unida e solidificada quando confrontados com negros fazendo exigências que são vistas como uma ameaça aos seus interesses pessoais. Os brancos reagem de forma conjunta para proteger interesses que percebem como sendo seus — interesses possuídos à exclusão daqueles que, por razões diversas, estão fora do grupo. O professor Robin M. Williams resumiu a situação:

> Em um sentido muito básico, as "relações raciais" são um resultado direto da longa onda de expansão europeia, começando com a descoberta da América. Devido a sua tecnologia e organização econômica e política mais desenvolvida, os europeus foram capazes, pela força militar ou pela penetração econômica e política, de assegurar o controle sobre colônias, territórios, protetorados e outras posses e esferas de influência

ao redor do mundo. De certa forma, o resultado das chamadas relações raciais teve muito pouco a ver com "raça" — inicialmente, foi um acidente histórico que os povos encontrados na expansão europeia compartilhavam características físicas obviamente diferentes dos europeus. *Mas uma vez que as ideologias raciais foram formadas e amplamente difundidas, elas constituíram um poderoso meio de justificar a hegemonia política e o controle econômico.*

Da mesma forma, os atuais direitos e privilégios sociais, econômicos e políticos tendem a ser racionalizados e defendidos por pessoas e grupos que detêm tais privilégios.

[...] *Sempre que um número de pessoas dentro de uma sociedade desfrutou por um período considerável de certas oportunidades para obter riqueza, para exercer poder e autoridade, e para reivindicar, com sucesso, prestígio e deferência social, há uma forte tendência para que essas pessoas sintam que esses benefícios são seus "por direito".* As vantagens passam a ser consideradas como normais, próprias, costumeiras, como que sancionadas pelo tempo, precedentes e consenso social. As propostas para mudar tal situação suscitam reações de "indignação moral". Doutrinas elaboradas são desenvolvidas para mostrar a inevitabilidade e a retidão do esquema existente das coisas.

Um sistema estabelecido de interesses pessoais é algo poderoso, talvez especialmente quando as diferenças de poder, riqueza e prestígio coincidem com símbolos relativamente indeléveis de afiliação coletiva, tais como traços físicos hereditários compartilhados, uma religião distinta, ou uma cultura persistentemente mantida. Os detentores de uma posição privilegiada se veem como um grupo e fortalecem uns aos outros em suas atitudes; quaisquer dúvidas sobre a justiça do status quo parecem ser diminuídas pelo caráter grupal dos arranjos. (WILLIAMS, 1966, pp. 727-729)

Mas e quanto à "separação de poderes" oficial — o sistema de "freios e contrapesos"? Estamos bem cientes de que o poder político está supostamente dividido em nível nacional entre o presidente, o Congresso e os tribunais. Mas, de alguma forma, a guerra no Vietnã tem prosseguido sem a aprovação do Congresso. Estamos cientes de que os bons modos constitucionais (na verdade, rapidamente se tornam irrelevantes) dividem o poder entre o governo federal e os estados. Mas, de alguma forma, a Suprema Corte não encontrou nenhuma dificuldade em expandir os poderes do Congresso sobre o comércio interestadual. Ao mesmo tempo, nos é dito que o governo federal é muito limitado no que pode fazer para impedir que os brancos ataquem e assassinem os militantes por direitos civis. Existe um interesse de grupo e ele cruza todas as supostas linhas quando necessário, tornando-as, assim, irrelevantes. Além disso, os brancos frequentemente se veem como um grupo monolítico sobre questões raciais e agem em conformidade com essa visão.

A comunidade negra percebe a "estrutura de poder branca" em termos muito concretos. O homem do gueto vê o locador branco do seu imóvel aparecer apenas para cobrar aluguéis exorbitantes e não fazer os reparos necessários, enquanto ambos sabem que o departamento de inspeção de edifícios da cidade, dominado pelos brancos, fará vista grossa para as violações do locador ou irá lhe impor apenas pequenas multas. O homem do gueto vê o policial branco na esquina maltratar brutalmente um bêbado negro em uma via e, ao mesmo tempo, aceitar um pagamento de um dos agentes da milícia controlada pelos brancos. Ele vê as ruas do gueto repletas de lixo não recolhido, e sabe que os governantes que poderiam enviar caminhões para recolher esse lixo são brancos. Quando não o fazem, ele sabe a razão: a falta de consideração política que a comunidade negra desfruta. Ele observa a ausência de um currículo adequado nas escolas do gueto — por exemplo, livros de história que ignoram categoricamente as conquistas históricas dos negros — e sabe que a diretoria da escola é controlada por brancos.² O homem negro do gueto não quer ouvir discursos intelectuais sobre a natureza pluralista e fragmentada do poder político. Ele está diante de uma "estrutura de poder branca" tão monolítica quanto as administrações coloniais da Europa têm sido nas colônias africanas e asiáticas.

Há outro aspecto da política colonial frequentemente encontrado na África colonial e nos Estados Unidos: o processo de governo indireto. Martin Kilson descreve esse aspecto em *Political Change in a West African State, A Study of the Modernization Process in Sierra Leone* [Mudança política em um Estado da África Ocidental, um estudo do processo de modernização em Serra Leoa, em tradução livre]:

> O governo indireto é o método de administração colonial local por meio da atuação de estruturas de poder locais que exercem a autoridade executiva. Ele foi aplicado de uma forma ou de outra em toda a África colonial britânica e foi, do ponto de vista do orçamento do poder metropolitano, uma forma de colonialismo barato. (KILSON, 1966, p. 24)

Em outras palavras, a estrutura de poder branca governa a comunidade negra por meio dos negros locais que se reportam aos líderes brancos, ao centro da cidade, à máquina branca, e não à população negra. Esses políticos negros não exercem um poder efetivo. Não se pode confiar neles para que exijam algo em nome de seus constituintes negros; não são mais do que marionetes. Eles colocam a lealdade a um partido político acima da lealdade a seus constituintes negros e assim anulam qualquer poder de barganha que a comunidade negra possa desenvolver. A política colonial

2. Estudos demonstraram a preponderância de empresários e profissionais masculinos nos conselhos escolares em todo o país. Uma pesquisa mostrou que tais indivíduos, embora apenas 15% da população, constituíam 76% dos membros dos conselhos escolares em uma amostra nacional. A porcentagem de trabalhadores nos conselhos era de apenas 3%.
Ver William C. Mitchell, *The American Polity: A Social and Cultural Interpretation*. Glencoe, Illinois: Free Press, 1962.

faz com que o sujeito abafe a sua voz enquanto participa dos conselhos da estrutura de poder branca. O homem negro perde sua oportunidade de falar com veemência e nitidez por sua raça e justifica isso em termos de conveniência. Assim, quando se fala de um "Establishment Negro", na maioria dos lugares deste país, está se falando de um establishment baseado no poder branco; negros escolhidos à dedo, que o poder branco projeta como peças para serem expostas. Tais "líderes" negros são, então, apenas tão poderosos quanto seus reis brancos lhes permitirão ser. Isso não é menos verdade para o Norte do que para o Sul.

Descrevendo a situação política em Chicago, Wilson escreveu em *Negro Politics* [Política Negra, em tradução livre]:

> Particularmente irritante para os políticos negros tem sido a perda parcial de sua capacidade de influenciar a nomeação de negros para cargos importantes ou de prestígio em conselhos e agências públicas. Os negros selecionados para integrar órgãos como o Conselho de Educação, a Comissão de Desenvolvimento Urbano, o Conselho de Meio Ambiente, a Comissão de Planejamento de Chicago e outros grupos são os "líderes simbólicos" [...] e o controle sobre essas indicações ocorreu parcialmente fora da esfera de influência dos negros. (WILSON, 1960, p. 84)

Antes do parlamentar William O. Dawson (parlamentar negro do predominantemente negro Primeiro Distrito Congressional de Southside Chicago) ter sido cooptado pela máquina branca, ele foi um franco defensor da causa negra. Posteriormente, se tornou uma ferramenta da estrutura de poder branca do partido democrata da cidade; a comunidade negra não tinha mais um representante efetivo que pudesse articular e lutar para aliviar suas mazelas. O senhor Dawson se tornou assimilado. Os chefes políticos brancos podiam governar a comunidade negra da mesma forma que a Grã-Bretanha governava as colônias africanas — por governo indireto. Observe o resultado, como descrito em *Crisis in Black and White*, de Silberman (1964):

> Chicago é um excelente exemplo de como os negros podem ser cooptados para a inércia. [...] Dawson entregou muito mais do que ele obteve para a comunidade negra. O que Dawson obteve foram os benefícios tradicionais da máquina política da grande cidade: empregos mal pagos para muitos seguidores; intervenção política na polícia e com agentes de fianças, assistentes sociais, agentes públicos de habitação e outros burocratas cujas decisões podem afetar a vida de um eleitor pobre; e uma fatia da pizza na forma de projetos populares de habitação, auxílios sociais e similares.
>
> O que Dawson entregou foi o orgulho e a dignidade de sua comunidade: jogou fora a oportunidade de forçar os líderes políticos e civis de Chicago a identificar e lidar com os problemas fundamentais da segregação e da opressão. (SILBERMAN, 1964, p. 206)

Dawson, e inúmeros outros como ele, tem uma resposta a essa crítica: esta é a maneira correta de operar; você tem que "jogar o jogo" do partido para obter o máximo de benefícios. Nós rejeitamos essa noção. Pode muito bem resultar em benefícios particulares — em termos de status ou ganhos materiais — para os indivíduos, mas não fala da atenuação de uma multidão de problemas sociais compartilhados pelas massas. Eles também podem dizer: se falasse com mais franqueza, não poderia mais participar dos conselhos partidários. Seria expulso, e então o povo negro não teria voz nem acesso. Em última análise, esse é, na melhor das hipóteses, um argumento espúrio, que faz mais para aumentar a segurança individual da pessoa do que para obter benefícios substanciais para o grupo.

Com o tempo, observa-se que se desenvolve uma lacuna entre a liderança e os seguidores. As massas, corretamente, não veem mais os líderes como seus representantes legítimos. Passam a vê-los mais pelo que eles são, emissários enviados pela sociedade branca. A identificação entre os dois é perdida. Isso ocorreu frequentemente na África, e a analogia é relevante mais uma vez. O ex-presidente de Gana, Kwame Nkrumah, descreveu a situação colonial na África pré-independente em seu livro *Africa Must Unite* [A África deve unir-se, em tradução livre]:

> O princípio do governo indireto adotado na África Ocidental, e em outras partes do continente, permitia um certo grau de autonomia local, na medida em que os chefes podiam governar seus distritos desde que não fizessem nada contrário às leis do poder colonial, e sob a condição de aceitarem certas ordens do governo colonial. O sistema de governo indireto foi notavelmente bem-sucedido por um tempo no norte da Nigéria, onde os Emires governaram da mesma maneira que antes do período colonial. Mas o sistema tinha perigos óbvios. Em alguns casos, os chefes autocráticos, apoiados pelo governo colonial, tornaram-se ineficientes e impopulares, como mostraram os tumultos contra os chefes no leste da Nigéria em 1929, e em Serra Leoa em 1936.
>
> Em amplas áreas da África Oriental, onde não havia um sistema desenvolvido de governo local que pudesse ser usado, foram nomeados chefes de aldeias ou chefes "mandatários", geralmente de famílias nobres. Eles estavam tão intimamente ligados ao poder colonial que muitos africanos pensavam que os chefes eram uma invenção dos britânicos. (NKRUMAH, 1963, p. 18)

Esse processo de cooptação e um subsequente aumento da distância entre as elites negras e as massas é comum em situações coloniais. Desenvolveu-se neste país uma classe inteira de "líderes cativos" nas comunidades negras. São pessoas negras com certas habilidades técnicas e administrativas que poderiam desempenhar funções úteis de liderança nas comunidades negras, mas não o fazem porque se tornaram dependentes da estrutura de poder branca. Trata-se dos professores escolares negros, funcionários públicos que aconselham trabalhadores rurais, jovens executivos em cargos de gestão em empresas etc. Em um estudo sobre Nova Orleans contido no trabalho *The Negro Leadership Class* [A classe de liderança negra, em tradução livre] do professor Daniel C. Thompson, professores de escolas públicas emergem como o maior grupo profissional da comunidade negra daquela cidade: havia 1.600 deles em 1961. Essas pessoas têm formação universitária, são articuladas e estão em contato diário com as mentes jovens do Sul negro. Em sua maioria (felizmente existem algumas exceções), não são fontes de liderança comunitária positiva ou agressiva. Thompson concluiu:

> Dependendo como eles dependem dos funcionários brancos, os professores das escolas públicas têm seu papel de liderança bastante restringido [...] várias leis aprovadas pela Assembleia Legislativa da Luisiana, assim como regras e regulamentos adotados pelos conselhos escolares estaduais e locais nos últimos anos, tornaram quase impossível que os professores negros se identifiquem com organizações voltadas para a questão racial, ou mesmo para participar ativamente do movimento de direitos civis. Essa é definitivamente uma importante razão pela qual alguns professores permaneceram inertes e silenciosos durante controvérsias acaloradas sobre os direitos civis. (THOMPSON, 1963, p. 46)

É cristalino que a maioria dessas pessoas se acomodaram com o sistema racista. Eles se renderam à subjugação colonial em troca da segurança de alguns dólares e de um status duvidoso. Estão efetivamente perdidos na luta pela melhora das posições ocupadas por pessoas negras, o que desafiaria fundamentalmente esse sistema racista. John A. Williams conta em *This is My Country Too* [Este é o meu país também, em tradução livre] como foi para a Faculdade do Estado do Alabama (a universidade estadual para negros) em 1963 para entrevistar um professor negro, que lhe disse bruscamente:

"O governador Wallace paga meu salário; não tenho nada a dizer para você. Desculpe-me, tenho uma aula para dar" (1965, p. 62).

Quando os negros jogam o jogo da política colonial, eles também induzem a comunidade branca a pensar erroneamente que têm o aval dos negros. Um professor de Ciências Políticas que fez um estudo sobre os negros na política de Detroit de 1956 a 1960 concluiu:

> O fato de o negro participar do sistema, votando e participando da política partidária no Norte não deve nos levar a concluir que ele aceitou o celebrado consenso da sociedade sobre a política. Seu apoio e trabalho para o Partido Democrata é mais um compromisso estratégico na maioria dos casos do que um apoio incondicional ao partido. Meu próprio trabalho em Detroit me levou a concluir que os oficiais negros do partido não são "leais" ao Partido Democrata da mesma forma que os grupos étnicos ou outros grupos organizados, como sindicalistas, têm sido. Embora a coalizão entre o Partido Democrata e a União dos Trabalhadores da Indústria Automotiva (UAW, em inglês) em Detroit tenha dado ao negro uma série de posições na hierarquia do partido, não o incluiu no processo de tomada de decisão.
>
> [...] Como na situação colonial, o negro desenvolveu uma síndrome de submissão-agressão. Quando ele participa de reuniões de estratégia de campanha, parece ser submisso, aceitando de bom grado as estratégias sugeridas pelos líderes brancos. Apesar de sua aparente concordância e sua postura condescendente, após as reuniões, os representantes trabalhadores negros dirão que tiveram que "concordar com toda essa conversa" a fim de garantir que estivessem representados. Eles expressam abertamente seu ressentimento com a hierarquia do partido e se revelam muito mais militantes sobre a causa negra do que aparentaram durante a reunião.[3]

---

3. A. W. Singham, *The Political Socialization of Marginal Groups*. Trabalho apresentado na reunião anual de 1966 da American Political Science Association, na cidade de Nova York.

Essa postura não é incomum. Mais do que um par de negros admitirá, em uma conversa particular, seu desprezo por brancos desleais com quem precisam trabalhar e negociar (muito provavelmente, o desprezo é mútuo). Eles se sentem seguros em externar seus verdadeiros sentimentos somente quando não podem ser ouvidos por "o homem".

Aqueles que assumirem a responsabilidade de representar os negros neste país devem ser capazes de descartar a noção de que podem efetivamente fazê-lo e ainda manter um nível máximo de segurança. Empregos terão que ser sacrificados, posições de prestígio e status cedidos, favores perdidos. Pode muito bem ser — e nós achamos que é — que liderança e segurança são basicamente incompatíveis. Quando uma força desafia completamente o sistema racista, não se pode, ao mesmo tempo, esperar que esse sistema a recompense ou mesmo a trate de forma cômoda. Uma liderança política que pacifica e abafa sua voz e, em seguida, racionaliza isso em termos de ganhar "algo para meu povo" recebe, no fundo, apenas as recompensas simbólicas e sem sentido que uma sociedade próspera está disposta a dar.

Um último aspecto do colonialismo político é a manipulação das fronteiras políticas e a concepção de sistemas eleitorais restritivos. Frequentemente, é dito que pessoas negras são apenas 10% da população — ninguém menos que o presidente Johnson achou por bem nos lembrar dessa proporção. Raramente é apontado que essa minoria está geograficamente localizada de modo a criar blocos potencialmente majoritários — sendo essa localização estratégica um irônico efeito colateral da segregação. Mas os negros nunca foram capazes de utilizar plenamente sua força numérica eleitoralmente. Onde poderíamos votar, as máquinas políticas brancas manipularam as fronteiras dos bairros negros, de modo que a verdadeira força do voto não se refletisse na representação política. Alguém que olha para a distribuição do poder e da representação política em Manhattan pensaria que os negros representam 60% da população? Em nível local, a eleição para as câmaras de vereadores pelo sistema geral, e não por distrito, reduz o número de representantes que saem da comunidade negra. Em Detroit, que usa o sistema geral, não havia um negro na Câmara Municipal até 1957, apesar de uma vasta população negra, especialmente durante a Segunda Guerra Mundial. Além disso, quanto maior o distrito eleitoral, maior a probabilidade de não haver um negro eleito, porque ele também tem que apelar para os votos dos brancos. Los Angeles, com distritos eleitorais bastante grandes, viu o primeiro vereador negro somente em 1963.

Os tomadores de decisão são os mais hábeis em conceber formas ou utilizar fatores existentes para manter seu monopólio do poder político.

•••

A relação econômica das comunidades negras dos Estados Unidos com a sociedade em geral também reflete seu status colonial. O poder político exercido sobre essas comunidades anda de mãos dadas com a privação econômica vivida pelos cidadãos negros.

Historicamente, as colônias existiram com o único propósito de enriquecer o "colonizador" de uma forma ou de outra; a consequência é a manutenção da dependência econômica dos "colonizados". Muito frequentemente ouvimos falar do motivo missionário por trás da colonização: "civilizar", "cristianizar" os povos subdesenvolvidos e atrasados. Mas leia estas palavras de um secretário de Estado da França Colonial em 1923:

> Qual é a utilidade de camuflar a verdade? No início, a colonização não foi um ato de civilização, nem havia um desejo de civilizar. Era um ato de força motivado por interesses. Um episódio da competição vital que, de homem para homem, de grupo para grupo, foi sempre aumentando; os povos que se propuseram a colonizar terras distantes pensavam principalmente em si mesmos, e estavam trabalhando para seus próprios lucros, e conquistando para seu próprio poder.[4]

---

4. Albert Sarraut, secretário de Estado da França colonial, falando na Escola Colonial em Paris. Como citado em Kwame Nkrumah, *Africa Must Unite*. Londres: Heinemann Educational Books, Ltd., 1963, p. 40.

Lembramos imediatamente da amarga máxima que muitos africanos negros expressam hoje: os missionários vieram pelos nossos bens, não para nosso bem. De fato, os missionários voltaram os olhos dos africanos para o céu, e enquanto isso os roubaram. As colônias eram fontes das quais as matérias-primas eram retiradas e mercados para os quais os produtos acabados eram vendidos. A fabricação e a produção eram proibidas se isso significasse — como geralmente acontecia — concorrência com a "pátria mãe". Rica em recursos naturais, a África não colhia o benefício desses recursos. Na Costa do Ouro (hoje Gana), onde a cultura do cacau era a maior do mundo, não havia uma única fábrica de chocolate.

Esse mesmo status econômico tem sido perpetrado na comunidade negra deste país. Os exploradores entram no gueto, sangram-no e o deixam economicamente dependente do resto da sociedade. Assim como os missionários, esses exploradores frequentemente aparecem como "amigos do negro", fingindo oferecer bens e serviços que valem a pena, quando sua motivação básica é o lucro pessoal e seu impacto básico é a manutenção do racismo. Muitas das agências de assistência social — públicas e privadas — frequentemente fingem oferecer serviços de "melhoria social"; na realidade, acabam criando um sistema que desumaniza o indivíduo e perpetua sua dependência. Consciente ou inconscientemente, a atitude paternalista de muitas dessas agências não difere da de muitos missionários que vão para a África.

O professor Kenneth Clark descreveu, no livro *Dark Ghetto* [Gueto negro, em tradução livre], a colonização econômica dos guetos negros assim:

> O gueto se alimenta de si mesmo; ele não produz bens ou contribui para a prosperidade da cidade. Tem poucos grandes negócios. [...] Embora a comunidade branca tenha tentado manter o negro confinado nos bolsões do gueto, o homem de negócios branco não se manteve fora do gueto. Um gueto também oferece oportunidades de lucro e, em uma sociedade competitiva, o lucro deve ser obtido onde for possível.

No Harlem, existe apenas uma grande loja de departamentos, e ela pertence a brancos. Os negros possuem uma associação de poupança e empréstimo; e um banco de propriedade dos negros foi recentemente organizado. Os outros bancos são filiais de bancos do centro da cidade que pertencem a brancos. Propriedades — prédios de apartamentos, lojas, bares, pequenos mercados e teatros — são em sua maioria de propriedade de pessoas que vivem fora da comunidade e levam seus lucros para casa. [...]

Quando ocorreu um tumulto nas ruas do gueto no verão de 1964, a maioria das lojas invadidas e saqueadas pertenciam a brancos. Muitos desses proprietários responderam à destruição com perplexidade e raiva, pois sentiram que estavam servindo a uma comunidade que precisava deles. *Eles não perceberam* que os moradores não estavam gratos por esse serviço, mas amargurados, como os nativos muitas vezes se sentem em relação aos funcionários de uma potência colonial que, no próprio ato de serviço, mantêm a odiada *estrutura de opressão intacta*. (CLARK, 1965, pp. 27-28)

É uma dura realidade que as comunidades negras estejam empobrecendo cada vez mais. Em junho de 1966, o Instituto de Estatísticas Trabalhistas relatou a deterioração das condições de vida dos negros neste país. Em 1948, a taxa de desemprego de homens não brancos[5] entre 14 e 19 anos de idade era de 7,6%. Em 1965, a taxa de desemprego nessa faixa etária era de 22,6%. Os números correspondentes para adolescentes brancos desempregados eram de 8,3% em 1948, e 11,8% em 1965.

No período de dez anos entre 1955 e 1965, o total de empregos para jovens entre 14 e 19 anos aumentou de 2.642.000 para 3.612.000. Os jovens não brancos conseguiram apenas 36.000

---

5. Os não brancos nesta e nas estatísticas subsequentes incluem os porto-riquenhos, mas a grande maioria dos não brancos são negros.

desses 970.000 novos empregos. Quanto aos adultos, a relação do desemprego entre adultos não brancos e brancos permaneceu o dobro: em junho de 1966, 4,1% para brancos e 8,3% para não brancos (PRICE, 1966, p. 4).

Para evitar que alguém fale sobre preparo educacional, que se acrescente aqui rapidamente que *as taxas de desemprego em 1965 eram mais altas para os não brancos que concluíram o ensino médio do que para os brancos que abandonaram o ensino médio.* Além disso, em 1960, a renda média de um homem não branco graduado era de US$ 5.020 — isto é, US$ 110 a menos do que os ganhos de homens brancos com apenas um a três anos de ensino médio. O dr. Andrew F. Brimmer, negro, ex-secretário-assistente para assuntos econômicos do Departamento de Comércio, destaca ainda mais essa situação ao falar dos ganhos esperados no decorrer da vida:

> Talvez a característica mais marcante [...] seja o fato de que um homem não branco deve ter entre um e três anos de faculdade antes de poder esperar ganhar tanto quanto um homem branco com menos de oito anos de escolaridade, no decurso de suas respectivas vidas profissionais. *Além do mais, até mesmo depois de completar uma faculdade e passar pelo menos um ano na pós-graduação, um homem não branco pode esperar ganhar tanto quanto uma pessoa branca que só completou o ensino médio.* (BRIMMER, 1966, p. 260)

Um homem branco com quatro anos de ensino médio pode esperar ganhar cerca de $253.000 em sua vida. Um homem negro com cinco anos ou mais de faculdade pode esperar ganhar $246.000 em sua vida. Atualmente, o dr. Brimmer é um membro do Conselho de Governadores do Sistema de Reserva Federal dos Estados Unidos, e muitas pessoas apontarão sua nova posição como um indicativo do "progresso dos negros". No capítulo II, discutiremos o absurdo de tais conclusões.

Mais uma vez, como nas colônias africanas, os recursos econômicos que a comunidade negra possui são dilapidados de uma forma irracional. Por meio de um sistema exploratório de crédito, as pessoas pagam prestações por anos. As taxas de juros são astronômicas, e a mercadoria — em primeiro lugar, de qualidade relativamente baixa — se desgasta muito tempo antes do pagamento da última parcela da prestação. O professor David Caplovitz da Universidade de Columbia comentou em seu livro *The Poor Pay More* [O pobre paga mais, em tradução livre]: "Os altos preços das mercadorias de baixa qualidade é, portanto, um importante dispositivo utilizado pelos comerciantes para se protegerem contra os riscos de seus negócios de oferecimento de crédito" (1963, p. 18). Muitos dos cidadãos do gueto, devido ao emprego precário e à baixa renda, não podem obter crédito de empresas mais legítimas; assim, ou vivem sem itens importantes ou acabam sendo explorados. Eles são atraídos para dentro das lojas por peças publicitárias atraentes, por exemplo, móveis para três cômodos por "apenas US$ 199". Uma vez dentro da loja, o cliente desprevenido é persuadido a comprar móveis menores a um preço mais alto, ou lhe é dito que os itens anunciados estão temporariamente fora de estoque e lhes são mostrados outros produtos. Na maioria das vezes, evidente, todos os itens estão superfaturados.

O comerciante explorador depende tanto de ameaças quanto de ações legais para garantir o pagamento. A penhora de salários não é particularmente benéfica para o comerciante — embora certamente usada —, porque o empregador demitirá com facilidade um funcionário em vez de ter trabalho extra com a contabilidade. E uma vez que o comprador é despedido, todos os pagamentos param. Mas o comerciante pode continuar a ameaçar o cliente com uma eventual penhora. A devolução do produto é outra ameaça; novamente, não é particularmente benéfica para o comerciante. Em primeiro lugar, ele sabe da má qualidade de suas mercadorias, as quais têm baixo valor de revenda e provavelmente já foram substancialmente usadas. Além disso, tanto a penhora quanto a devolução do produto fazem com que o comerciante tenha uma má imagem na comunidade. É uma melhor prática comercial aumentar os preços 200-300%, conseguir o máximo possível — perseguir o cliente pelo pagamento semanal — e ainda obter um lucro considerável. Ao mesmo tempo, o comerciante pode proteger sua imagem como um "companheiro atencioso e compreensivo".

O comerciante tem formas especiais de capturar os beneficiários de programas sociais. Eles não devem comprar à prestação; o pagamento de parcelas não pode fazer parte da realidade deles. Assim, um comerciante pode ameaçar informar ao administrador do benefício caso um beneficiário não esteja cumprindo com seus pagamentos, ainda que estejamos falando de apenas alguns dólares. Outro exemplo: em novembro de 1966, a M.E.N.D. (Massive Economic Neighborhood Development [Desenvolvimento Econômico Massivo da Vizinhança], uma organização comunitária contra a pobreza, em Nova York), documentou o fato de que alguns comerciantes aumentam seus preços nos dias em que os assistidos por programas sociais recebem seus benefícios. Produtos enlatados e outros itens ficavam até dez centavos mais caros nesses dias específicos.

Com uma renda abaixo da média, o homem negro paga preços exorbitantes por mercadorias baratas; então deve pagar mais por moradia do que os brancos. Whitney Young, da Urban League [Liga Urbana], organização não partidária de direitos civis, escreve em seu livro *To Be Equal* [Para ser igual, em tradução livre]: "A maioria dos 838.000 negros de Chicago vive em um gueto e paga mensalmente cerca de $20 a mais por habitação do que as pessoas brancas na mesma cidade" (1964, pp. 144-145). Pessoas negras também têm muito mais dificuldade para garantir uma hipoteca. Precisam recorrer a especuladores imobiliários que cobram taxas de juros de até 10%, enquanto um empréstimo comum implicaria uma taxa de juros de apenas 6%. Quanto aos empréstimos para começar um negócio, encontramos o mesmo padrão entre africanos, que eram proibidos ou desestimulados a iniciar empreendimentos comerciais. "A estrutura de poder branca", diz dr. Clark em *Dark Ghetto*, "colaborou na servidão econômica dos negros por sua relutância em dar empréstimos e oferecer seguros às empresas negras" (1965, pp. 27-28). A Administração de Pequenos Negócios, por exemplo, no período de dez anos anterior a 1964, fez apenas *sete* empréstimos a negros.

É por isto que a sociedade não faz nada de significativo sobre o racismo institucional: a comunidade negra tem sido a criação de, e dominada por, uma combinação de forças opressoras e interesses específicos da comunidade branca. Os grupos que têm acesso aos recursos necessários e a capacidade de efetuar mudanças se beneficiam política e economicamente do contínuo status de subordinação da comunidade negra. Isso não quer dizer que cada branco estadunidense oprime conscientemente os negros. Ele não precisa fazê-lo. O racismo institucional tem sido mantido deliberadamente pela estrutura de poder e por meio da indiferença, inércia e falta de coragem por parte das massas brancas, bem como de servidores públicos mesquinhos. Sempre que as demandas negras por mudanças aumentam e se fortalecem, a indiferença é substituída por uma oposição ativa baseada no medo e no interesse próprio. A linha entre a repressão intencional e a indiferença é turva. De uma forma ou de outra, a maioria dos brancos participa do colonialismo econômico.

De fato, a estrutura de poder colonial branca tem sido um inimigo formidável. Ela perpetuou um círculo vicioso — o ciclo da pobreza — no qual as comunidades negras têm bons empregos negados e, portanto, ficam condenadas a ter uma renda baixa e, portanto, incapazes de obter uma boa educação com a qual poderia obter bons empregos. (Discutiremos isso em detalhes no capítulo VII.) As comunidades não podem se qualificar para obter empréstimos em lugares com maior credibilidade; então recorrem a comerciantes inescrupulosos que se aproveitam delas cobrando preços mais altos por mercadorias inferiores. Elas acabam tendo menos recursos para comprar no atacado, não podendo assim reduzir os custos totais. Dessa maneira, as comunidades negras permanecem cativas.

Diante de tal realidade, torna-se ridículo condenar os negros por "não mostrarem mais iniciativa". As pessoas negras não estão em uma condição de inferioridade por causa de algum defeito em seu caráter. A estrutura de poder colonial colocou grilhões no pescoço do povo negro e depois, ironicamente, disse "eles não estão prontos para a liberdade". Deixados unicamente à boa vontade do opressor, os oprimidos nunca estariam prontos.

E ninguém aceita a culpa. E não há nenhuma "estrutura de poder branca" fazendo isso com eles. E eles estão nessa condição "porque são preguiçosos e não querem trabalhar". E isso não é colonialismo. E esta é a terra das oportunidades e da liberdade. E as pessoas não deveriam se alienar.

Entretanto as pessoas se tornam, sim, alienadas.

•••

A operação do colonialismo político e econômico neste país tem repercussões sociais que remontam à escravidão, mas que não terminam, de forma alguma, com a abolição da escravidão. Talvez o resultado mais vicioso do colonialismo — na África e neste país — seja o proposital, malicioso e imprudente abandono o qual relegou os negros a um status subordinado e inferior na sociedade. O indivíduo foi considerado e tratado como um animal inferior, que não merecia habitação ou serviços médicos adequados e, de maneira alguma, uma educação decente. No capítulo VII discutiremos os efeitos específicos do colonialismo na educação, moradia e saúde dos negros; aqui, nos concentraremos nos resultados humanos e psicológicos do colonialismo social, primeiro como afetou a atitude dos brancos em relação aos negros e, em seguida, a atitude do povo negro em relação a si mesmo.

Como já observamos, os escravizados foram trazidos para esta terra para o bem dos senhores brancos, não com o propósito de salvar ou "civilizar" os negros. Em *From Slavery to Freedom* [Da Escravidão à Liberdade], o professor John Hope Franklin escreve:

Quando os países da Europa se comprometeram a desenvolver o Novo Mundo, eles estavam interessados principalmente na exploração dos recursos naturais das Américas. A mão de obra era, obviamente, necessária e quanto mais barata melhor. (FRANKLIN, 1957, p. 47)

Os indígenas teriam sido uma solução natural, mas eram muito suscetíveis a doenças transportadas pelos europeus e não se conformariam à rígida disciplina do sistema de plantação. Os brancos pobres da Europa foram testados, mas se mostraram insatisfatórios. Eram apenas servos indignados, trazidos para servir por um tempo limitado; muitos se recusaram a completar seu contrato e fugiram. Com suas peles brancas, se assimilaram facilmente à sociedade. Mas os africanos negros eram diferentes. Eles provaram ser a salvação econômica do homem branco. Franklin conclui:

> Por causa de sua cor, os negros poderiam ser facilmente apreendidos. Eles poderiam ser comprados diretamente e o fornecimento de mão de obra do colonizador não estaria em um estado de constante flutuação. Os negros, de uma terra pagã e sem exposição aos ideais éticos do cristianismo, poderiam ser tratados com métodos mais rígidos de disciplina e poderiam ser moral e espiritualmente degradados em nome da estabilidade na plantação. A longo prazo, os escravos negros eram realmente mais baratos. Em um período em que as considerações econômicas eram tão vitais, isso era especialmente importante. A escravidão negra, então, tornou-se uma instituição fixa, uma solução para um dos problemas mais difíceis que surgiram no Novo Mundo. Com o aparentemente inesgotável suprimento de negros, não haveria mais preocupações com o trabalho. Os países europeus poderiam olhar para trás com gratidão para os primeiros de seus compatriotas que exploraram as costas da África e trouxeram ouro de volta para a Europa. Foi a chave para a solução de um dos problemas mais cruciais da América. (FRANKLIN, 1957, p. 49)

O fato é que a escravidão teve um impacto profundo nas atitudes subsequentes da sociedade em relação ao homem negro, isto é, a escravidão ajudou a definir um senso de superioridade branca. O presidente da Suprema Corte, Roger B. Taney, no caso Dred Scott de 1857, declarou "[...] que eles (negros) não tinham direitos que o homem branco era obrigado a respeitar; e que o negro podia ser reduzido à escravidão de forma justa e legal em seu benefício". A emancipação dos escravizados por ato legal certamente não poderia apagar tais noções da mente dos racistas. Eles acreditavam em seu status superior, não em documentos, em pedaços de papel. E essa crença tem persistido. Quando algumas pessoas comparam os negros estadunidenses a "outros grupos de imigrantes" neste país, ignoram o fato de que a escravidão era peculiar aos negros. Nenhum outro grupo minoritário neste país foi jamais tratado como propriedade legal.

Mesmo quando o negro participou de guerras para defender este país, mesmo quando o negro demonstrou repetidamente lealdade a este país, a mentalidade colonial arraigada continuou a negar-lhe um status igual na sociedade. A participação dos negros nas guerras do homem branco é uma característica do colonialismo. O governante colonial prontamente apela e espera que os colonizados lutem e morram em defesa do império colonial, sem que o governante sinta qualquer compulsão particular para conceder aos colonizados status de igualdade. Na verdade, a guerra é frequentemente uma guerra para defender o status quo sociopolítico estabelecido entre o governante e o colonizado. Seja o que for que possa ser mudado pelas guerras, a relação fundamental entre o governante colonial e os subordinados permanece substancialmente inalterada.

Woodrow Wilson proclamou que este país entrou na Primeira Guerra Mundial "para tornar o mundo seguro para a democracia". Esse foi o mesmo presidente que assinou ordens executivas segregando a maior parte dos refeitórios e banheiros dos funcionários federais. Esse foi o mesmo homem que escreveu em 1901:

Um estado de coisas extraordinário e muito perigoso foi criado no Sul pela súbita e absoluta emancipação dos negros, e não foi estranho que as legislaturas do Sul consideraram necessário tomar medidas extraordinárias para proteger-se contra os perigos manifestos e prementes que isso implicava. Havia uma vasta "classe trabalhadora, sem terra, sem teto", outrora escrava; agora livre; sem experiência com a liberdade, sem autocontrole; nunca moderada pela disciplina da autossuficiência; nunca estabelecida em qualquer hábito de prudência; excitada por uma liberdade que não entende, exaltada por falsas esperanças, desnorteada e sem líderes, e ainda insolente e agressiva; farta do trabalho, cobiçosa do prazer — uma multidão de crianças escuras e prematuramente expulsas das instituições de ensino. (WILSON, 1901)

"[...] crianças escuras e prematuramente expulsas das instituições de ensino", libertadas muito cedo — é absolutamente inconcebível que um homem que falava de tal maneira pudesse ter os negros em mente quando falava em salvar o mundo (isto é, os Estados Unidos) para a democracia. Obviamente, os negros não foram incluídos no perímetro de defesa de Woodrow Wilson. Qualquer que tenha sido a vida dos negros sob o domínio alemão, este país nitidamente não lutou contra a Alemanha pela melhoria do status dos negros — sob a democracia salva — *nesta* terra.

Mesmo durante a guerra, enquanto soldados negros morriam na Europa, o deputado federal pela Geórgia, Frank Park, apresentou um projeto de lei para tornar ilegal a nomeação de negros para a categoria de oficiais. Após a guerra, os veteranos negros retornaram para enfrentar uma luta não menos feroz do que a do exterior. Mais de setenta pessoas negras foram linchadas durante o primeiro ano após o armistício. Dez soldados negros, alguns ainda de uniforme, foram linchados. E poucos que conhecem a história estadunidense do século 20 deixarão de se lembrar do "Verão Vermelho" de 1919. Vinte e cinco motins raciais foram registrados entre junho e dezembro daquele ano. A Ku Klux

Klan floresceu durante esse período, fazendo mais de duzentas aparições públicas em vinte e sete estados. As células da Ku Klux Klan não estavam todas localizadas no Sul; unidades foram organizadas em Nova York, Indiana, Illinois, Michigan e outras cidades do Norte.

A Segunda Guerra Mundial foi apenas um pouco diferente. A crescente necessidade de mão de obra nas indústrias de defesa abriu lentamente mais empregos para os negros como resultado do esforço de guerra, mas como o professor Garfinkel (1959) apontou em *When Negroes March* [Quando os negros marcham, em tradução livre], "quando os empregos na indústria de defesa foram finalmente abertos para os negros, eles tenderam a estar nos degraus mais baixos da escada do sucesso". Garfinkel também conta como o presidente da Companhia de Aviação Norte-Americana, por exemplo, emitiu esta declaração em 7 de maio de 1941:

> Embora tenhamos total simpatia com os negros, é contra a política da empresa empregá-los como trabalhadores aeronáuticos ou mecânicos [...] independentemente de sua formação. [...] Haverá alguns trabalhos como zeladores para os negros. (GARFINKEL, 1959, p. 17)

Este país também considerou adequado tratar os prisioneiros de guerra alemães com mais humanidade do que tratou seus próprios soldados negros. Em uma ocasião, um grupo de soldados negros estava transportando prisioneiros alemães de trem pelo Sul para um campo de prisioneiros de guerra. O restaurante do trem exigia que os soldados negros comessem em instalações segregadas — com considerável atraso e apenas quatro de cada vez — enquanto os prisioneiros alemães (brancos, é óbvio) comiam sem demora e com outros passageiros na seção principal do restaurante!

Assim atua o homem branco em relação ao negro, uma atitude enraizada na escravidão. Evidentemente, seria e tem sido muito difícil para as gerações seguintes de brancos superarem — mesmo que quisessem — o conceito de uma casta subordinada composta por negros, o conceito de inferioridade negra. Eles tiveram que continuar pensando assim e desenvolvendo doutrinas elaboradas para justificar o que o professor Williams chamou de "a inevitabilidade e a retidão do esquema existente das coisas". Herbert Blumer chegou à seguinte conclusão:

> [...] O sentido de posição de grupo é uma norma e um imperativo – de fato, muito poderoso. Ele orienta, incita, intimida e coage [...] esse tipo de sentido de posição de grupo representa e envolve um tipo fundamental de afiliação grupal para os membros do grupo racial dominante. Na medida em que eles se reconhecem como pertencendo a esse grupo, estarão automaticamente sob a influência do sentido de posição desse grupo. (BLUMER, 1958)

Blumer faz uma exceção: aqueles que não se reconhecem como pertencentes ao grupo. Dentro e fora do movimento de direitos civis, há brancos que rejeitaram sua própria branquidade como um símbolo de grupo e que, às vezes, até tentaram "ser negros". Esses dissidentes sofreram ostracismo, pobreza, dor física e a própria morte ao demonstrar não reconhecerem o pertencimento ao grupo por causa de seu racismo. Mas como os brancos podem se libertar completamente do chamado da posição de grupo — se libertar não somente das atitudes racistas ostensivas em si mesmas, mas de um paternalismo mais sutil criado pela sociedade e, talvez mais importante, da reação condicionada dos negros à sua condição de brancos? Para a maioria dos brancos, essa liberdade é inalcançável. Os próprios apoiadores brancos dos direitos civis têm notado isso com frequência:

> Com demasiada frequência, percebemos nossas relações com os líderes da comunidade local de forma perturbadoramente como a tradicional relação entre brancos e negros do Sul: o militante branco recebe o poder de decisão, enquanto o líder local se encontra instintivamente assumindo um papel

subserviente. [...] Uma vez que o objetivo do militante não é liderar, mas fazer o povo liderar a si mesmo, ser branco é uma dificuldade insuperável. (DETWILER, 1966)

Os efeitos sociais e psicológicos sobre a população negra de todas as suas experiências degradantes também são muito nítidos. Desde que o povo negro foi introduzido neste país, sua condição tem fomentado a indignidade humana e a negação de respeito. Nascidos nesta sociedade hoje, os negros começam a duvidar de si mesmos, de seu valor como seres humanos dignos. O respeito próprio se torna quase impossível. Kenneth Clark descreve o processo em *Dark Ghetto*:

> Os seres humanos que são forçados a viver sob condições de gueto e cuja experiência diária lhes diz que quase em nenhum lugar da sociedade serão respeitados, nem receberão tratamento com a ordinária dignidade e cortesia das outras pessoas, começarão, como é óbvio, a duvidar de seu próprio valor. Como cada ser humano depende de suas experiências acumuladas com os outros para obter pistas sobre como deve se ver e se valorizar, as crianças que são consistentemente rejeitadas começam a questionar e duvidar se elas, sua família e seu grupo realmente merecem mais respeito da sociedade do que o respeito que recebem. Essas dúvidas tornam-se as sementes de um auto-ódio pernicioso e grupal, o complexo e debilitante preconceito do negro contra si mesmo.
>
> A preocupação de muitos negros com alisadores de cabelo, branqueadores de pele e similares ilustra esse aspecto trágico do preconceito racial estadunidense — os negros passaram a acreditar em sua própria inferioridade. (CLARK, 1965, pp. 63-64)

Houve o mesmo resultado na África. E algumas potências coloniais europeias — notadamente França e Portugal — proporcionaram ao negro "uma saída" para o status degradante: tornar-se "branco" ou assimilado. A França buscou uma política colonial destinada a produzir uma classe de elite negra francesa, um grupo exposto e aculturado à "civilização" francesa. Em suas colônias africanas de Moçambique e Angola, Portugal tentou uma política colonial de assimilação que foi ainda mais longe. Não há fingimento — como nas colônias britânicas e na retórica estadunidense — de que os negros estão caminhando em direção ao autogoverno e à liberdade. Todos os grupos independentistas foram reprimidos. Nessas colônias portuguesas, prevalece um processo legal pelo qual um africano pode se tornar, de fato, um homem "branco", se ele se aproximar de certos padrões ocidentais. O assimilado é aquele que adotou os costumes, a vestimenta, a língua portuguesa, e completou, pelo menos, o ensino médio. Ele é, evidentemente, favorecido com empregos especiais e melhores condições de moradia. Esse status também o qualifica para receber um passaporte para viajar ao exterior, principalmente para Portugal e Brasil. Caso contrário, tal liberdade de circulação é negada. O assimilado é aceito socialmente pelos brancos nos restaurantes e clubes noturnos. Na verdade, os funcionários portugueses irão até mesmo importar uma portuguesa branca para Moçambique para casar-se com um homem assimilado. (O colonialismo estadunidense não foi tão longe.) Mas, para se submeter a tudo isso, o assimilado deve rejeitar como intrinsecamente inferior toda sua herança e associação africana.

De forma semelhante à das potências coloniais na África, a sociedade estadunidense indica caminhos de fuga do gueto para aqueles indivíduos que se adaptam ao padrão dominante. Essa adaptação significa dissociar-se da raça negra, de sua cultura, comunidade e herança, e mergulhar (dispersar é outro termo) no mundo branco. O que realmente acontece, como o professor E. Franklin Frazier (1957) assinalou em seu livro, *Black Bourgeoisie* [Burguesia Negra, em tradução livre], é que a pessoa negra deixa de se identificar com o povo negro, mas é obviamente incapaz de se assimilar com os brancos. Ela se torna um "indivíduo marginal", vivendo à margem de ambas as sociedades em um mundo em grande parte de "mentirinha". Essa pessoa negra é incitada a adotar os padrões e valores da classe média estadunidense. Como no caso do africano negro que teve de se tornar um "francês" para ser aceito, para ser um estadunidense, o negro deve se esforçar para se tornar "branco". Na medida em que o faz, é considerado "bem ajustado" — aquele que "se elevou acima da questão racial". Essas pessoas são frequentemente apontadas pelo Establishment branco como exemplos vivos do progresso que a sociedade está fazendo para resolver o problema racial. Basta dizer que, justamente porque são obrigados a renunciar à sua raça negra de forma ostensiva ou dissimulada, *estão reforçando o racismo neste país*.

Nos Estados Unidos, como na África, essa "adaptação" operou para privar a comunidade negra de suas habilidades potenciais e de seu poder intelectual. Com muita frequência, essas pessoas "integradas" são usadas para enfraquecer os verdadeiros sentimentos e objetivos das massas negras. Eles são escolhidos como "líderes negros", e a estrutura do poder branco começa a dialogar e a lidar apenas com eles. É desnecessário dizer que nenhum diálogo frutífero e cheio de significado pode ocorrer sob tais circunstâncias. Esses "líderes" escolhidos a dedo não têm um eleitorado viável pelo qual possam falar e agir. Tudo isso é uma fórmula clássica de cooptação colonial.

Em todos os momentos, então, os efeitos sociais do colonialismo são para degradar e desumanizar o homem negro subjugado. A Escola da Escravatura e Segregação Estadunidense Branca, assim como a Escola do Colonialismo, ensinou o sujeito a odiar a si mesmo e a negar sua própria humanidade. A sociedade branca mantém uma atitude de superioridade e a comunidade negra sucumbiu demasiadas vezes a ela, permitindo assim que os brancos acreditem na correção de sua posição. As suposições racistas de superioridade branca foram tão profundamente enraizadas no tecido social que informam todo o funcionamento do subconsciente nacional. Elas são naturalizadas e frequentemente nem mesmo reconhecidas. Como os professores Lewis Killian e Charles Grigg exprimiram em seu livro, *Racial Crisis in America* [Crise racial na América, em tradução livre]:

No momento, a integração como solução para o problema racial exige que o negro rejeite sua identidade como negro. Mas, para uma solução duradoura, o significado de *"estadunidense"* deve perder seu modificador racial implícito, "branco". Mesmo sem o amálgama biológico, a integração exige a sincera aceitação por todos os estadunidenses de que é tão bom ser um estadunidense negro quanto ser um estadunidense branco. Aqui está o cerne do problema das relações raciais — a redefinição do sentido de posição de grupo para que a vantagem do status do homem branco não seja mais uma vantagem, para que um estadunidense possa reconhecer sua ancestralidade negra sem se desculpar por isso. [...] Eles [negros] vivem em uma sociedade na qual ser incondicionalmente "estadunidense" é ser branco, e ser negro é uma desgraça. (KILLIAN; GRIGG, 1964, pp. 108-109)

Já passou do tempo de a comunidade negra se redefinir, estabelecer novos valores e objetivos e se organizar em torno deles.

poder negro: sua necessidade e substância

II

"Para conquistar um lugar para si na ordem político-social", V. O. Key escreveu em *Politics, Parties and Pressure Groups* [Política, partidos e grupos de pressão, em tradução livre], "um novo grupo pode ter que lutar pela reorientação de muitos dos valores da velha ordem" (1964, p. 57). Isso é especialmente verdadeiro quando esse grupo é composto por negros na sociedade estadunidense — uma sociedade que durante séculos os tem excluído deliberada e sistematicamente da participação política. Os negros nos Estados Unidos devem levantar questões difíceis, questões que desafiam a natureza da própria sociedade: seus valores, crenças e instituições de longa data.

Para isso, precisamos primeiro nos redefinir. Nossa necessidade básica é recuperar nossa história e nossa identidade do que deve ser chamado de terrorismo cultural, da depredação da autojustificação da culpa branca. Teremos que lutar pelo direito de criar nossos próprios termos, por meio dos quais definiremos a nós mesmos e a nossa relação com a sociedade, e de ter esses termos reconhecidos. Trata-se da primeira necessidade de um povo livre, e o primeiro direito que qualquer opressor deverá suspender.

Em *Politics among Nations* [A Política entre Nações], Hans Morgenthau (1966, p. 29) definiu o poder político como o controle psicológico sobre a mente dos homens. Esse controle inclui a tentativa do opressor de ter *suas* definições, *suas* descrições históricas, *aceitas* pelos oprimidos. Isso foi verdade na África, não menos do que nos Estados Unidos. Para os negros africanos, a palavra "Uhuru" significa "liberdade", mas tiveram que lutar contra os colonizadores brancos pelo direito de usar o termo. A história registrada das relações deste país com os indígenas e negros oferece outros exemplos. Nas guerras entre os colonizadores brancos e os "indígenas", uma batalha vencida pelos brancos foi descrita como uma "vitória". Os triunfos dos "indígenas", no entanto, foram "massacres". (Os colonos estadunidenses não ignoravam a necessidade de definir seus atos em seus próprios termos. Eles rotularam sua luta contra a Inglaterra como uma "revolta"; os ingleses tentaram rebaixá-la, chamando-a de "insubordinação" ou "tumulto".)

O período histórico após a Reconstrução no Sul, após a Guerra Civil, foi chamado por muitos historiadores de o período da Redenção, implicando que as fanáticas sociedades de escravizados do Sul foram "redimidas" das mãos de governantes negros "imprudentes e irresponsáveis". O livro *Reconstruction after the Civil War* [Reconstrução após a Guerra Civil, em tradução livre], do professor John Hope Franklin, ou o livro *Black Reconstruction in America* [Reconstrução negra nos Estados Unidos, em tradução livre], do dr. W. E. B. DuBois, deveria ser suficiente para dissipar noções históricas imprecisas, mas a sociedade em geral persiste em seus próprios relatos egoístas. Assim, os negros passaram a ser representados como "preguiçosos", "apáticos", "burros", "estáticos", "boa vida". Da mesma maneira como os indígenas tiveram que ser chamados de "selvagens" para justificar o roubo de suas terras pelo homem branco, os homens negros tiveram que ser vilipendiados a fim de justificar sua opressão contínua. Aqueles que têm o direito de definir são os donos da situação. Lewis Carroll entendeu isso:

— Quando uso uma palavra, significa exatamente o que eu escolho para significar — nem mais, nem menos — disse Humpty Dumpty num tom bastante desdenhoso.
— A questão é se você pode fazer com que as palavras signifiquem tantas coisas diferentes — disse Alice.
— A questão é quem é que manda — isso é tudo — disse Humpty Dumpty. (CARROLL, 1960, p. 196)

Hoje, o sistema educacional estadunidense continua a reforçar os valores enraizados da sociedade por meio do uso de palavras. Poucas pessoas neste país questionam que esta é "a terra dos livres e o lar dos valentes". Desde a infância, têm ouvido estas palavras do hino nacional. Poucas pessoas questionam que esta seja a "Grande Sociedade" ou que este país esteja lutando contra a "agressão comunista" ao redor do mundo. Falamos essas coisas repetidamente, e elas se tornam truísmos a não serem questionados. De maneira semelhante, os negros têm sofrido com apelidos pejorativos.

"Integração" é outro exemplo de uma palavra que foi definida de acordo com a maneira como os estadunidenses brancos a veem. Para muitos deles, isso significa homens negros querendo se casar com suas filhas brancas; significa "mistura de raças" — implicando parceiros de cama ou de dança. Para os negros, significa uma forma de melhorar suas vidas — econômica e politicamente. Mas a definição predominante dos brancos ficou presa na mente de muitas pessoas.

As pessoas negras devem redefinir-se, e somente *elas* podem fazer isso. Em todo este país, vastos segmentos das comunidades negras começam a reconhecer a necessidade de afirmar suas próprias definições, de recuperar sua história, sua cultura; de criar seu próprio senso de comunidade e de união. Há um ressentimento crescente em relação a palavra "*Negro*",[6] por exemplo, porque o termo é uma invenção de nosso opressor; é a imagem de nós criada por *eles* que descreve. Muitos negros dos Estados Unidos agora se chamam africanos-estadunidenses, afro-estadunidenses ou "*Blacks*", porque essa é a *nossa* imagem de nós mesmos. Quando começamos a definir nossa própria imagem, os estereótipos — isto é, mentiras — que nosso opressor desenvolveu, começarão na comunidade branca e terminarão lá. A comunidade negra terá uma imagem positiva de si mesma, que *ela mesma* criou. Isso significa que não nos chamaremos mais de preguiçosos, apáticos, burros, estáticos, boa vida etc. Essas são palavras usadas pela sociedade branca para nos definir. Se aceitarmos tais adjetivos, como alguns de nós já fizeram no passado, então nos vemos apenas de forma negativa, exatamente como a sociedade estadunidense branca quer que nós nos enxerguemos. Isso acaba com a nossa motivação e vontade de lutar. De agora em diante, nos veremos como afro-estadunidenses e

---

6. Nota da editora: com a mesma forma escrita do português, o termo "*Negro*", com a pronúncia em inglês, tem um valor pejorativo nos EUA, por isso o apontamento no original.

como "*Blacks*" que de fato são enérgicos, determinados, inteligentes, cheios de beleza e amantes da paz.

Existe uma terminologia e um *ethos* peculiar à comunidade negra da qual os negros começam a não ter mais vergonha. As comunidades negras são os únicos grandes segmentos desta sociedade onde as pessoas se referem umas às outras como irmão, irmã ou alma-irmã. Algumas pessoas podem encarar isso como *ersatz*, como faz-de-conta, mas não é isso. É real. É um crescente senso de comunidade. É uma percepção crescente de que os negros estadunidenses têm um laço comum não apenas entre si, mas com seus irmãos africanos. Em *Black Man's Burden* [O fardo do homem negro, em tradução livre], John O. Killens descreveu sua viagem a dez países africanos da seguinte forma:

> A qualquer lugar que eu fosse, as pessoas me chamavam de irmão. [...] "Bem-vindo, irmão estadunidense." Foi uma sensação boa para mim, estar na África. Caminhar em uma terra pela primeira vez em toda sua vida sabendo dentro de si mesmo que sua cor não seria usada contra você. Nenhum negro jamais conheceu isso nos Estados Unidos. (KILLENS, 1965, p. 160)

Cada vez mais negros estadunidenses estão desenvolvendo esse sentimento. Eles estão se tornando conscientes de que têm uma história que é anterior à sua entrada forçada neste país. A história afro-estadunidense significa uma longa história que começa no continente africano, uma história não ensinada nos livros didáticos oficiais deste país. É absolutamente essencial que os negros conheçam essa história, que conheçam suas raízes, que desenvolvam uma consciência de sua herança cultural. Por muito tempo foram mantidos em submissão, sendo-lhes dito que não tinham cultura, nenhuma herança manifesta, antes de desembarcarem nos blocos de leilão de escravizados neste país. Para que as pessoas negras conheçam a si mesmas como um povo vibrante e corajoso, elas devem conhecer suas raízes. E logo aprenderão que a imagem hollywoodiana de canibais devoradores de homens que esperam e servem o grande caçador branco é uma mentira.

Com a redefinição, virá uma noção mais evidente do papel que os negros estadunidenses podem desempenhar neste mundo. Esse papel sairá nitidamente das experiências únicas e comuns dos afro-asiáticos. Killens conclui:

> Acredito ainda que o negro estadunidense possa ser a ponte entre o Ocidente e a África-Ásia. Nós, os negros dos Estados Unidos, podemos servir de ponte para o entendimento mútuo. A única coisa que nós negros estadunidenses temos em comum com os outros povos de cor do mundo é que todos nós sentimos o calcanhar cruel e impiedoso da supremacia branca. Todos nós fomos desumanizados em um nível ou outro. E todos nós estamos determinados a humanizar a terra. Livrar o mundo da desumanização é o fardo do homem negro, a reconstrução humana é o grande objetivo. (KILLENS, 1965, p. 176)

Somente quando os negros desenvolverem plenamente esse senso de comunidade, de si mesmos, poderão começar a lidar efetivamente com os problemas de racismo *neste* país. É o que queremos dizer com uma nova consciência; esse é o primeiro passo vital.

• • •

O próximo passo é o que podemos chamar de processo de modernização política — um processo que deve ocorrer se a sociedade quiser se livrar do racismo. A "modernização política" inclui muitas coisas, mas com isso queremos abarcar três grandes conceitos: (1) questionar antigos valores e instituições da sociedade; (2) buscar novas e diferentes formas de estrutura política para resolver problemas políticos e econômicos; e (3) ampliar a base de participação política para incluir mais pessoas no processo de tomada de decisões. Essas noções (vamos retomar esses conceitos) são centrais para nosso pensamento no decorrer deste livro e para a história estadunidense contemporânea como um todo. Como David Apter escreveu em *The Politics of Modernization* [As políticas de modernização, em tradução livre],

> [...] a luta para modernizar é o que deu sentido à nossa geração. Ela testa nossas queridas instituições e nossas crenças. [...] Uma força tão coercitiva nos obriga a fazer novas perguntas a nossas próprias instituições. Cada país, seja modernizado ou em modernização, se baseia tanto no julgamento quanto no medo dos resultados. Nossa própria sociedade não é exceção. (APTER, 1965, p. 2)

Os valores desta sociedade sustentam um sistema racista; achamos incongruente pedir aos negros que adotem a maioria desses valores. Também rejeitamos a suposição de que as instituições basilares desta sociedade devem ser preservadas. O objetivo do povo negro *não* deve ser o de ser assimilado na classe média estadunidense, pois essa classe — como um todo — está sem uma consciência viável em relação à humanidade. Os valores da classe média permitem a perpetuação da devastação da comunidade negra. Os valores dessa classe são baseados no engrandecimento material, não na expansão da humanidade. Os valores dessa classe acabam por apoiar pequenas sociedades, fechadas, enclausuradas, escondidas em vizinhanças confortáveis e arborizadas. Os valores dessa classe *não* conduzem à criação de uma sociedade aberta. Essa classe fala da sua preferência por uma sociedade livre e competitiva, ao mesmo tempo em que nega, veementemente e até mesmo violentamente, ao povo negro a oportunidade de competir.

Não estamos desatentos a outras descrições da utilidade social da classe média. Banfield e Wilson, em *City Politics* [Política da cidade, em tradução livre], concluíram:

> A saída da classe média do centro da cidade é importante de outras formas. [...] A classe média fornece um fermento social e político para a vida de uma cidade. As pessoas de classe média exigem boas escolas e integridade no governo. Apoiam igrejas, alojamentos, associações de pais e mestres, tropas de escoteiros, comitês por melhoras nas moradias, galerias de arte e óperas. É a classe média, em resumo, que afirma uma concepção do interesse público. Agora, sua atividade está cada vez mais concentrada nas vizinhanças afastadas do centro. (BANFIELD; WILSON, 1966, p. 14)

Mas a mesma classe média manifesta um sentido de posição de grupo superior em relação à raça. Essa classe quer "bom governo" para *si mesma*; quer boas escolas para *seus* filhos. Ao mesmo tempo, muitos de seus membros entram furtivamente na comunidade negra durante o dia, exploram-na e levam o dinheiro para suas comunidades de classe média à noite para apoiar suas óperas e galerias de arte e casas confortáveis. Quando não estão realmente roubando, lutarão contra o punhado de negros mais abastados que tentam sair das comunidades negras; quando os negros são aprovados ou há uma tentativa de integração simbólica, se aplica apenas aos negros como eles — tão "brancos" quanto possível. *Essa classe é a espinha dorsal do racismo institucional neste país.*

Assim, rejeitamos o objetivo de assimilação nos Estados Unidos da classe média porque os valores dessa classe são em si mesmos anti-humanistas e porque essa classe como uma força social perpetua o racismo. Devemos encarar o fato de que, no passado, o que chamamos de movimento não questionou realmente os valores e as instituições da classe média deste país. Se alguma coisa foi feita, foi aceitar esses valores e instituições sem perceber plenamente sua natureza racista. A reorientação significa uma ênfase na dignidade do homem, não na santidade da propriedade. Significa a criação de uma sociedade onde a miséria e a pobreza humanas são repugnantes a essa sociedade, não uma indicação de preguiça ou de falta de iniciativa. A criação de novos valores significa o estabelecimento de uma sociedade baseada, como Killens a expressa em *Black Man's Burden*, no "povo livre", não na "livre iniciativa" (1965, p. 167). Fazer isso significa modernizar — na realidade, civilizar — este país.

Apoiar os velhos valores é apoiar as velhas estruturas políticas e econômicas; essas também devem ser "modernizadas". Neste ponto, devemos distinguir "estruturas" e "sistema". Por sistema, temos em mente todo o complexo estadunidense de instituições básicas, valores, crenças etc. Por "estruturas", entendemos as instituições específicas (partidos políticos, grupos de interesse, órgãos da burocracia) que existem para conduzir os negócios daquele sistema. Obviamente, o primeiro é mais amplo do que o segundo. Além disso, o segundo supõe a legitimidade do primeiro. Nossa opinião é que, dada a ilegitimidade do sistema, não podemos então proceder à transformação desse sistema com as estruturas existentes.

Os dois principais partidos políticos deste país se tornaram entidades inviáveis para a representação legítima das necessidades reais das massas — especialmente as massas negras – nos Estados Unidos. Walter Lippmann levantou o mesmo ponto em sua coluna de 8 de dezembro de 1966. Ele ressaltou que o sistema partidário nos Estados Unidos se desenvolveu antes que nossa sociedade se tornasse tão complexa tecnologicamente quanto é agora. Diz que as maneiras como os homens vivem e se definem estão mudando radicalmente. Velhas questões ideológicas, outrora tema de controvérsia apaixonada, argumenta Lippmann, são de pouco interesse hoje em dia. O escritor questiona se os grandes complexos urbanos — que estão se tornando rapidamente os centros de povoamento negro nos EUA — podem ser geridos com os mesmos sistemas e ideias que derivam de uma época em que os Estados Unidos eram um país de pequenas vilas e fazendas. Embora não se dirija diretamente à questão da raça, Lippmann levanta uma grande questão sobre nossas instituições políticas; e a crise da raça nos Estados Unidos pode ser seu principal sintoma.

O povo negro tem visto as comissões de planejamento da cidade, as comissões de renovação urbana, os conselhos de educação e os departamentos de polícia falharem em falar de forma significativa sobre suas necessidades. É preciso conceber novas estruturas, novas instituições para substituir essas formas ou para fazê-las responderem às demandas da comunidade negra. Não há nada de sagrado ou inevitável nas antigas instituições; o foco deve ser nas pessoas e não nas formas.

As estruturas existentes e as formas estabelecidas de fazer as coisas têm uma maneira de se perpetuar e, por esse motivo, o processo de modernização será difícil. Portanto, a timidez em questionar os conselhos de educação ou os departamentos de polícia não trarão mudanças. Eles devem ser questionados de forma nítida e veemente. Se isso significa a criação de instituições comunitárias paralelas, então essa deve ser a solução. Se isso significa que os pais negros devem controlar o funcionamento das escolas na comunidade negra, então essa deve ser a solução. A busca de novas formas significa a busca de instituições que, desta vez, tomarão decisões no interesse do povo negro. Significa, por exemplo, um departamento de inspeção de edifícios que não ignora as violações dos códigos de construção por parte de proprietários ausentes, nem impõe multas insignificantes que lhes permitem continuar explorando a comunidade negra.

Uma base ampliada de participação política é essencial para a modernização de estruturas. Cada vez mais pessoas devem se tornar politicamente sensíveis e ativas (já vimos isso acontecer em algumas áreas do Sul). As pessoas não devem mais estar ligadas, por pequenos incentivos ou esmolas, a uma máquina branca corruptível e corrupta. O povo negro escolherá seus próprios líderes e fará com que eles atuem pela causa negra. Uma base ampliada significa o fim da condição descrita por James Wilson em *Negro Politics*, segundo a qual "os negros tendem a ser os objetos e não os sujeitos da ação cívica. As coisas são geralmente feitas em nome, ou sobre, ou para, ou por causa dos negros, mas são feitas com menos frequência pelos negros" (1960, p. 133). Ampliar a base de participação política tem, portanto, tanto a ver com a qualidade da participação negra quanto com a quantidade. Estamos plenamente conscientes de que o voto negro, especialmente no Norte, tem sido controlado pelos brancos e "entregue" sempre que foi do interesse dos políticos brancos fazê-lo. Esse voto não deve mais ser controlável por aqueles que não têm em mente nem demonstram preocupação com os interesses do povo negro.

À medida que a base se amplia, à medida que mais e mais pessoas negras se tornam ativas, elas perceberão mais nitidamente as desvantagens específicas que se acumulam sobre elas como um grupo. Perceberão que a sociedade em geral está se tornando mais próspera enquanto a sociedade negra está retrocedendo, como evidenciam a vida cotidiana e as estatísticas. (ver capítulos I e VIII) Em *Politics, Parties and Pressure Groups,* V. O. Key descreve o que muitas vezes acontece em seguida:

> Um fator de grande importância no desencadeamento de movimentos políticos é uma mudança abrupta para pior no status de um grupo em relação ao de outros grupos na sociedade. [...] Uma mudança rápida para pior [...] no status relativo de qualquer grupo [...] provavelmente precipitará uma ação política. (KEY, 1964, p. 24)

Os negros se tornarão cada vez mais ativos à medida que perceberem que seu status retrógrado existe em grande medida por causa dos valores e instituições que são contra eles. Eles começarão a enfatizar e a pressionar e a questionar todo o sistema. A modernização política estará em movimento. Acreditamos que está agora em movimento. Uma forma deste movimento é o Poder Negro.

• • •

A adoção do conceito de Poder Negro é um dos desenvolvimentos mais legítimos e saudáveis da política e das relações raciais estadunidenses em nosso tempo. O conceito de Poder Negro atende a todas as necessidades mencionadas neste capítulo. É um apelo para que os negros neste país se unam, reconheçam sua herança, construam um senso de comunidade. É um chamado para que os negros comecem a definir seus próprios objetivos, a liderar suas próprias organizações e a apoiar essas organizações. É um apelo à rejeição das instituições e valores racistas desta sociedade.

O conceito de Poder Negro se baseia em uma premissa fundamental: *antes que um grupo possa agir na sociedade civil, ele deve primeiro se unir*. Com isso, queremos dizer que a solidariedade grupal é necessária antes que um grupo possa operar efetivamente a partir de uma posição de poder de barganha em uma sociedade pluralista. Tradicionalmente, cada novo grupo étnico nesta sociedade encontrou o caminho para a viabilidade social e política por meio da organização de suas próprias instituições para representar suas necessidades dentro da sociedade mais ampla. Estudos sobre comportamento eleitoral em específico, e comportamento político em geral, deixaram evidente que politicamente as raças não se misturaram no caldeirão estadunidense. Os italianos votam em Rubino em vez de O'Brien; os irlandeses votam em Murphy em vez de Goldberg etc. Esse fenômeno pode parecer desagradável para alguns, mas foi e continua sendo hoje um fato central do sistema político estadunidense. Há muitos outros exemplos de como grupos da sociedade se lembraram de suas raízes e as usaram efetivamente na arena política. Theodore Sorensen descreve a política de ajuda externa durante a administração Kennedy em seu livro *Kennedy*:

> Nenhum eleitorado poderoso ou grupo de interesse apoiou a ajuda externa. O Plano Marshall ao menos tinha apelado para estadunidenses que traçaram suas raízes até as nações da Europa Ocidental que foram ajudadas. Mas havia poucos eleitores que se identificaram com a Índia, Colômbia ou Tanganica. (SORENSEN, 1965, p. 351)

A medida em que os negros estadunidenses conseguem e de fato "marcam suas raízes" até a África será a mesma medida em que eles serão capazes de ser mais eficazes na cena política. Um repórter branco apresentou o mesmo ponto em outros termos quando fez a seguinte observação sobre a manipulação do programa antipobreza do Mississippi por parte dos brancos:

> A guerra contra a pobreza tem sido baseada na noção de que existe uma comunidade que pode ser definida geograficamente e mobilizada para um esforço coletivo de ajuda aos pobres. Essa teoria não tem nenhuma relação com a realidade do Sul. Em cada condado do Mississippi, existem duas comunidades. Apesar de toda a piedosa platitude dos moderados de ambos os lados, essas duas comunidades costumam ver seus interesses em termos de conflito e não de cooperação. Somente quando a comunidade negra puder reunir força política, econômica e profissional suficiente para competir em termos de alguma igualdade, os negros acreditarão na possibilidade de verdadeira cooperação, e os brancos aceitarão essa necessidade. A caminho da integração, a comunidade negra precisa desenvolver uma maior independência — uma chance de administrar seus próprios assuntos e não ceder sempre que "o homem" ladre — ou assim me parece, e para a maioria das pessoas razoáveis com quem conversei no Mississippi. Para o Escritório de Oportunidades Econômicas, esse julgamento pode soar como nacionalismo negro. (JENCKS, 1966)

A questão é óbvia: pessoas negras devem liderar e dirigir suas próprias organizações. Somente pessoas negras podem transmitir a ideia revolucionária — e é uma ideia revolucionária — de que os negros são capazes de fazer as coisas sozinhos. Somente elas podem ajudar a criar na comunidade uma consciência negra desperta e contínua que fornecerá a base para a força política. No passado, aliados brancos muitas vezes promoveram a supremacia branca sem que os brancos envolvidos se dessem conta disso ou mesmo sem querer fazê-lo. Pessoas negras devem se unir e fazer as coisas por si mesmas. Devem alcançar a autoidentificação e autodeterminação para que suas necessidades diárias sejam atendidas.

Poder Negro significa, por exemplo, que no condado de Lowndes, Alabama, um xerife negro pode acabar com a brutalidade policial. Um auditor fiscal negro pode colocar, cobrar e canalizar dinheiro de impostos para a construção de melhores estradas e escolas que sirvam aos negros. Em áreas como Lowndes, onde os negros são uma maioria, eles tentarão usar o poder para exercer controle. Isto é o que buscam: controle. Quando aos negros falta uma maioria, o Poder Negro significa representação adequada e compartilhamento do controle. Significa a criação de bases de poder, de força, a partir das quais os negros possam pressionar a mudança dos padrões locais ou nacionais de opressão — em vez de fraqueza.

Isso não significa *simplesmente* colocar caras negras nos cargos. A visibilidade negra não é o Poder Negro. A maioria das pessoas negras na política de todo o país hoje não são exemplos de Poder Negro. O poder deve ser da comunidade, e daí emanar. As pessoas na política devem começar a partir daí. Devem deixar de ser representantes de máquinas "do centro da cidade", qualquer que seja o custo em termos de patrocínio perdido e esmolas para as férias.

O Poder Negro reconhece — precisa reconhecer — a base étnica da política estadunidense, bem como a natureza orientada ao poder dela. O Poder Negro, portanto, exige que o povo negro se consolide por trás dos seus próprios pares, para que possam negociar a partir de uma posição de força. Mas embora apoiemos o procedimento de solidariedade e identidade de grupo com o objetivo de atingir certos objetivos no corpo político, isso não significa que o povo negro deva lutar pelo mesmo tipo de recompensas (ou seja, resultados) obtidos pela sociedade branca. Os valores e objetivos finais não são a dominação ou exploração de outros grupos, mas uma participação efetiva no poder total da sociedade.

No entanto, alguns observadores rotularam como racistas aqueles que advogam o Poder Negro; disseram que o apelo à autoidentificação e à autodeterminação é "racismo reverso" ou "supremacia negra". Essa é uma mentira deliberada e absurda. Não há analogia — por qualquer extensão de definição ou imaginação — entre os defensores do Poder Negro e os racistas brancos. O racismo não é meramente exclusão com base na raça, mas exclusão com o propósito de subjugar ou manter a subjugação. O objetivo dos racistas é manter pessoas negras no fundo do poço, arbitrariamente e ditatorialmente, como têm feito neste país por mais de trezentos anos. O objetivo da comunidade negra, da autodeterminação e da autoidentificação negra — o Poder Negro — é a plena participação nos processos de tomada de decisão que afetam a vida das pessoas negras, e o reconhecimento das virtudes em si como povo negro. Os negros deste país não lincharam os brancos, bombardearam suas igrejas, assassinaram seus filhos e manipularam leis e instituições para manter a opressão. Os racistas brancos o fizeram. As leis do Congresso, uma após a outra, não foram necessárias para impedir os negros de oprimir os outros e negar aos outros o pleno gozo de seus direitos. Essas leis existem por causa dos racistas brancos. O objetivo do Poder Negro é positivo e funcional para uma sociedade livre e viável. Nenhum racista branco pode fazer essa afirmação.

Grande parte da atenção pública e do espaço na imprensa foi devotado para a acusação histérica de "racismo negro" quando o chamado para o Poder Negro foi feito pela primeira vez. Um comitê nacional de religiosos negros influentes afiliados ao Conselho Nacional de Igrejas, apesar de sua óbvia respeitabilidade e responsabilidade, teve que recorrer a um anúncio pago para articular sua posição, ao passo que qualquer pessoa que vociferasse "racismo negro" seria notícia de primeira página. Na declaração, publicada no *New York Times* de 31 de julho de 1966, os eclesiásticos disseram:

Nós, um grupo informal de religiosos negros nos Estados Unidos, estamos profundamente perturbados com a crise trazida a nosso país por distorções históricas de importantes realidades humanas na controvérsia sobre o "poder negro". O que vemos brilhar por meio da variedade da retórica não é nada de novo, mas o mesmo velho problema de poder e raça que nosso amado país tem enfrentado desde 1619.

[...] A consciência do homem negro é corrompida porque não tendo poder para implementar as exigências da consciência, a preocupação com a justiça na ausência de justiça torna-se uma caótica autorrendição. A impotência gera uma raça de pedintes. Estamos diante de uma situação em que a consciência impotente encontra o poder sem consciência, ameaçando os próprios fundamentos de nossa nação.

Lamentamos a violência ostensiva dos tumultos, mas sentimos que é mais importante nos concentrarmos nas verdadeiras fontes dessas erupções. Essas fontes podem ser incentivadas dentro do gueto, mas sua causa básica está na violência silenciosa e encoberta que a classe média branca dos Estados Unidos inflige sobre as vítimas das periferias.

[...] Em resumo, o fracasso dos líderes estadunidenses em usar o poder estadunidense para criar oportunidades iguais na *vida real*, assim como na *lei*, esse é o verdadeiro problema e não o grito angustiado por poder negro.

[...] Sem a capacidade de participar com poder, ou seja, de ter alguma força política e econômica organizada para realmente influenciar as pessoas com quem se interage, a integração não tem nenhum significado.

[...] Os Estados Unidos têm pedido a seus cidadãos negros que lutem por oportunidade como *indivíduos*, enquanto, em certos pontos de nossa história, o que mais precisamos tem sido uma oportunidade para todo o grupo, não apenas para os negros selecionados e aprovados.

[...] Não devemos nos desculpar pela existência dessa forma de reivindicação de poder como grupo, pois fomos oprimidos como um grupo e não como indivíduos. Não encontraremos a saída dessa opressão até que nós e os Estados Unidos aceitemos a necessidade de negros estadunidenses, assim como de judeus, italianos, poloneses e protestantes anglo-saxões brancos, entre outros, de ter e exercer o poder enquanto grupo.

Trata-se de um comentário sobre a natureza fundamentalmente racista desta sociedade em que o conceito de força de grupo para os negros tem que ser articulado — para não dizer defendido. Nenhum outro grupo se submeteria a ser liderado por outros. Os italianos não dirigem a B'nai B'rith. Os irlandeses não presidem as associações Cristóvão Colombo. No entanto, quando os negros pedem organizações compostas e dirigida por negros, são imediatamente classificados na categoria da Ku Klux Klan. Isto é interessante e irônico, mas de forma alguma surpreendente: a sociedade não espera que os negros sejam capazes de cuidar de seus negócios, e há muitos que preferem exatamente desse jeito.

No final, não podemos e não devemos oferecer nenhuma garantia de que o Poder Negro, se alcançado, seria não racista. Ninguém pode prever o comportamento humano. As mudanças sociais sempre têm consequências imprevistas. Se o "racismo negro" é o que a sociedade mais ampla teme, não podemos ajudá-la. Só podemos afirmar o que esperamos que seja o resultado, dado que a situação atual é inaceitável e que não temos alternativa real senão trabalhar pelo Poder Negro. Em última análise, a sociedade branca não tem direito a garantias, mesmo que fosse possível oferecê-las.

Esboçamos o significado e os objetivos do Poder Negro; também discutimos o que não é. Há outras coisas de maior importância. Os defensores do Poder Negro rejeitam os velhos slogans e a retórica sem sentido dos anos anteriores na luta pelos direitos civis. A linguagem de antes é, de fato, irrelevante: progresso, não violência, integração, medo da "reação adversa branca", coalizão. Vejamos a retórica e vejamos por que esses termos devem ser postos de lado ou redefinidos.

Uma das tragédias da luta contra o racismo é que, até este ponto, não houve nenhuma organização nacional que pudesse dialogar com a militância crescente dos jovens negros nos guetos urbanos e no cinturão negro do Sul. Houve apenas um movimento de "direitos civis", cujo tom de voz foi adaptado a um público de brancos de classe média. Serviu como uma espécie de zona tampão entre aquele público e jovens negros enfurecidos. Afirmava falar pelas necessidades de uma comunidade, mas não falava no tom dessa comunidade. Nenhum de seus chamados líderes poderia entrar em uma comunidade em tumulto e ser escutado. Em certo sentido, a culpa deve ser compartilhada — com a mídia de massa — por esses líderes pelo que aconteceu em Watts, Harlem, Chicago, Cleveland e outros lugares. A cada vez que os negros nessas cidades viam o dr. Martin Luther King ser esbofeteado, eles ficavam furiosos. Quando viram meninas negras serem bombardeadas até a morte em uma igreja e trabalhadores dos direitos civis emboscados e assassinados, ficaram ainda mais furiosos; e quando nada aconteceu, foram à loucura. Não tínhamos nada a oferecer que eles pudessem ver, exceto saírem e serem espancados novamente. Ajudamos a construir a frustração deles.

Tínhamos apenas a velha linguagem do amor e do sofrimento. E na maioria dos lugares — isto é, dos liberais e da classe média — ouvimos de volta a velha história sobre paciência e progresso. Os líderes dos direitos civis diziam ao país: "Vejam, vocês deveriam ser boas pessoas, e nós só vamos fazer o que devemos fazer. Por que vocês nos espancam? Por que vocês não nos dão o que pedimos? Por que não se endireitam?". Para as massas de negros, essa linguagem não resultou em praticamente nada. Na verdade, a condição objetiva deles no dia a dia piorou. A taxa de desemprego entre os negros aumentou enquanto entre os brancos diminuiu. As condições de moradia nas comunidades negras se deterioraram. As atividades nas escolas dos guetos negros continuaram a se desenvolver com técnicas ultrapassadas, currículos inadequados e com muitos professores cansados e indiferentes. Enquanto isso, o presidente usou o refrão de "We Shall Overcome" ["Nós devemos superar", em tradução livre] ao mesmo tempo que o Congresso aprovava leis de direitos civis uma atrás da outra, apenas para que fossem efetivamente anuladas por uma aplicação deliberadamente inefetiva. "Estamos progredindo", nos foi dito.

Tal linguagem, juntamente com reprimendas para não haver violência e o temor da reação adversa branca, convenceu alguns de que esse curso era o *único* a seguir. Enganou alguns, levando-os a acreditar que uma minoria negra poderia curvar a cabeça e ser chicoteada para conquistar uma posição significativa de poder. A própria noção é absurda. A sociedade branca concebeu a linguagem, fez as regras e fez com que a comunidade negra acreditasse que aquela linguagem e aquelas regras eram, de fato, relevantes. A comunidade negra foi sempre informada de como *outros* imigrantes finalmente ganharam a *aceitação*: isto é, seguindo a ética protestante do trabalho e da realização. Eles trabalharam duro; portanto, conseguiram. Não nos foi dito que foi construindo o Poder Irlandês, o Poder Italiano, o Poder Polonês ou o Poder Judaico, que esses grupos se uniram e operaram a partir de posições de força. Não nos foi dito que "o sonho americano" não foi projetado para pessoas negras. Que embora hoje, para os brancos, o sonho possa *parecer* incluir o povo negro, não podem fazê-lo pela própria natureza do sistema político e econômico desta nação, que impõe o racismo institucional às massas negras, se não a cada indivíduo negro. Um comentário notável sobre esse "sonho" foi feito por dr. Percy Julian, cientista negro e diretor do Julian Research Institute de Chicago, um homem para quem o sonho parece ter se tornado realidade. Embora não definisse como "poder negro" o que entendia, o dr. Julian entendeu nitidamente a base para isso:

> O falso conceito de uma inferioridade negra essencial é uma das maldições que ainda persiste. É um problema criado pelo homem branco. Nossos filhos simplesmente não vão mais aceitar a paciência que nos foi ensinada por nossa geração. Foi-nos contada uma mentirinha — destaque-se e as portas do mundo inteiro estarão abertas para você. *Obedeci às ordens e percebi que era tudo ilusão.* (JULIAN, 1967, p. 30)

Uma frase-chave em nossos dias era a não violência. Durante anos, pensou-se que os negros não lutariam literalmente por suas vidas. O porquê disso não está totalmente nítido; nem a sociedade em geral, nem as pessoas negras são conhecidas por serem passivas. A noção aparentemente deriva dos anos de marchas e manifestações e de protestos passivos em que pessoas negras não revidaram e a violência sempre veio das multidões brancas. Há muitos que ainda acreditam sinceramente nessa abordagem. Do nosso ponto de vista, as ferozes multidões brancas e os cavaleiros noturnos brancos devem ser obrigados a entender que seus dias de liberdade para oprimir acabaram. O povo negro irá lutar contra isso. Nada repele mais rapidamente alguém que se inclina a destruir você do que a mensagem inequívoca: "Ok, otário, faça sua jogada e corra o mesmo risco que eu corro — o de morrer".

Quando o conceito de Poder Negro é apresentado, muitas pessoas imediatamente evocam noções de violência. A reação do país aos Diáconos pela Defesa e Justiça, que teve origem na Luisiana, é instrutiva. Aqui está um grupo que percebeu que a "lei" e os agentes da lei não protegeriam as pessoas, então eles mesmos tinham que fazê-lo. Se uma nação falha em proteger seus cidadãos, então essa nação não pode condenar aqueles que assumem a tarefa. Os Diáconos e todos os outros negros que recorrem à autodefesa apresentam uma resposta simples a uma simples pergunta: quem não defenderia sua família e sua casa de um ataque?

Mas isso assustou alguns brancos, porque sabiam que o povo negro agora iria reagir. Eles sabiam que isso era exatamente o que teriam feito há muito tempo se estivessem sujeitos às injustiças e à opressão infligidas aos negros. Para aqueles de nós que defendem o Poder Negro está bem nítido em suas mentes que um projeto de direitos civis não violento é uma abordagem que os negros não podem se dar ao luxo de adotar e que o povo branco não merece receber. É muito nítido para nós — e deve se tornar também para a sociedade branca — que *ordem social não pode existir sem justiça*. As pessoas brancas devem ser levadas a entender que devem parar de se meter com o povo negro ou *os negros contra-atacarão*.

Em seguida, devemos lidar com o termo "integração". Para os defensores do termo, a justiça social será alcançada por meio da "integração do negro nas principais instituições da sociedade da qual ele tem sido tradicionalmente excluído". Essa ideia se baseia na suposição de que não há nada de valor na comunidade negra e que pouco valor poderia ser criado entre os negros. A coisa a se fazer, então, é sugar os negros "aceitáveis" para a comunidade branca da classe média vizinha.

As metas dos integracionistas são metas de classe média, articuladas principalmente por um pequeno grupo de pessoas negras com aspirações ou status de classe média. Seu tipo de integração significa que alguns negros capazes "chegaram lá", deixando a comunidade negra, esvaziando-a de potencial de liderança e *know-how*. Como observamos no capítulo I, essas pessoas negras simbólicas — absorvidos em uma massa branca — não têm nenhum valor para as massas negras restantes. Se tornam peças sem sentido para uma sociedade branca e sem consciência. Tais pessoas afirmarão que prefeririam ser tratadas "apenas como indivíduos, não como pessoas negras"; que elas "não estão e não devem estar preocupadas com raça". Essa é uma posição totalmente irrealista. Em primeiro lugar, o povo negro não sofreu como indivíduos, mas como membros de um grupo; portanto, sua libertação está na ação em grupo. É por isso que o Student Nonviolent Coordinating Committee [Comitê de Coordenação Estudantil Não Violenta] (SNCC) — e o conceito de Poder Negro — afirmam que ajudar pessoas negras *individuais* a resolver seus problemas *individualmente* pouco faz para ajudar a massa de negros e negras. Em segundo lugar, embora as políticas de apagamento das diferenças raciais sejam uma tendência nos últimos tempos, devemos perceber que raça é um aspecto avassaladoramente importante neste período histórico. Não há nenhum homem negro neste país que possa viver "simplesmente como homem". Sua negritude é um fato sempre presente nesta sociedade racista, quer ele a reconheça ou não. É improvável que esta ou a próxima geração testemunhe o momento em que a raça não será mais relevante na condução dos assuntos públicos e na tomada de decisões de políticas públicas. Perceber isso e tentar lidar com isso não faz de nós racistas ou excessivamente preocupados com a raça; isso nos coloca na vanguarda de uma *disputa* importante. Se não houver uma luta intensa hoje, não haverá resultados significativos amanhã.

A "integração" como um objetivo hoje aborda o problema da negritude não só de forma irrealista, mas também de forma desprezível. Baseia-se na aceitação completa do fato de que, para ter uma casa ou educação decente, pessoas negras devem se mudar para um bairro branco ou mandar seus filhos para uma escola branca. Isso reforça, entre negros e brancos, a ideia de que "branco" é automaticamente superior e "negro" é, por definição, inferior. Por essa razão, a "integração" é um subterfúgio para a manutenção da supremacia branca. Ela permite que a nação se concentre em um punhado de crianças negras do Sul que entram em escolas brancas a um alto preço, e ignore 94% que ficam em escolas negras sem condições adequadas. Tais situações não mudarão até que o povo negro alcance a equidade de forma significativa e a integração deixe de ser uma rua de mão única. Então, a integração não significará drenar habilidades e energias do gueto negro para os bairros brancos. Espalhar crianças negras entre os alunos brancos nas escolas distantes é, na melhor das hipóteses, uma medida de prevenção. O objetivo não é tirar as crianças negras da comunidade negra e expô-las aos valores da classe média branca; o objetivo é construir e fortalecer a comunidade negra.

A "integração" também significa que negros e negras devem renunciar à sua identidade, negar sua herança. Recordamos a conclusão de Killian e Grigg: "Atualmente, a integração como solução para o problema racial exige que o negro renuncie sua identidade como negro". O fato é que a integração, como tradicionalmente articulada, aboliria a comunidade negra. O fato é que o que deve ser abolido não é a comunidade negra, mas o status colonial dependente que lhe foi infligido.

A personalidade racial e cultural da comunidade negra deve ser preservada, e essa comunidade deve conquistar sua liberdade preservando ao mesmo tempo sua integridade cultural. A integridade inclui um orgulho — no sentido da autoaceitação, não algo chauvinista — em ser negro, nas conquistas e contribuições históricas do povo negro. Nenhuma pessoa pode ser saudável, completa e madura se tiver que negar uma parte de si mesma; isso é o que a "integração" tem exigido até agora. Essa é a diferença essencial entre a integração como ela é praticada atualmente e o conceito de Poder Negro.

A ideia de integridade cultural é tão óbvia que parece quase estúpido ter que explicar as coisas dessa forma. No entanto, milhões de estadunidenses resistem a tais verdades quando são aplicadas ao povo negro. Mais uma vez, essa resistência testemunha o racismo fundante da sociedade. Os católicos irlandeses tomaram conta de si mesmos primeiro, sem muitas desculpas por fazê-lo, sem nenhuma linguagem duvidosa por parte das suas lideranças, as quais não tiveram medo de uma "reação adversa" dos brancos. Todos entenderam se tratar de um procedimento perfeitamente legítimo. Era evidente que haveria uma "reação adversa". Organização gera organização contrária, mas isso não seria motivo para adiar os planos.

A chamada reação adversa branca contra o povo negro é outra coisa: são tradições arraigadas do racismo institucional trazidas à tona e invocando manifestações evidentes de racismo individual. No verão de 1966, quando começaram as marchas de protesto em Cícero, Illinois, o povo negro já sabia que não podia viver ali e o povo branco sabia disso. Quando as pessoas negras exigiram o direito de viver em casas naquela cidade, os brancos simplesmente as lembraram do status quo. Algumas pessoas chamavam isso de "reação adversa". Era, na verdade, o racismo se defendendo. Na comunidade negra, isso é chamado de "brancos mostrando sua cor". É ridículo culpar pessoas negras por aquilo que é simplesmente uma manifestação explícita de racismo branco. Dr. Martin Luther King afirmou nitidamente que as marchas de protesto não foram a causa do racismo, mas apenas expuseram uma condição cancerígena de longo prazo na sociedade.

Chegamos agora à retórica da coalizão como parte da abordagem tradicional para acabar com o racismo: o conceito do movimento de direitos civis como uma espécie de ligação entre a poderosa comunidade branca e uma comunidade negra dependente. "Coalizão" envolve toda a questão de como se aborda a política e as alianças políticas. É tão básico para uma compreensão do conceito de Poder Negro que vamos dedicar um capítulo inteiro ao assunto.

os mitos sobre coalizões

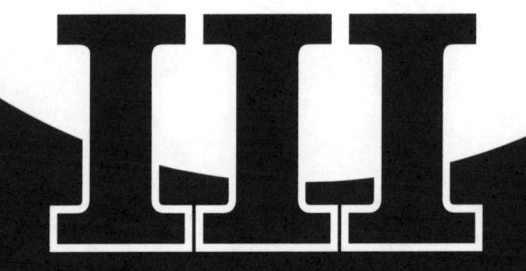

III

Há uma forte opinião nesta sociedade de que o melhor, talvez o único caminho para pessoas negras conquistarem seus direitos políticos e econômicos é formando coalizões com organizações ou forças liberais, trabalhistas, religiosas e outros tipos de instituições ou forças simpatizantes, incluindo a ala "liberal de esquerda" do Partido Democrata. Com tais aliados, poderiam influenciar a legislação nacional e os padrões sociais nacionais; assim, o racismo poderia ser erradicado. Essa escola vê o "Movimento do Poder Negro" como basicamente separatista e não disposto a estabelecer alianças. Bayard Rustin, um dos principais porta-vozes da doutrina da coalizão, escreveu:

> Negros do Sul, a despeito das tentativas de persuasão por parte do SNCC para que se organizassem no Partido dos Panteras Negras, vão ficar no Partido Democrata — para eles este é o partido do progresso, do New Deal, do New Frontier e do New Society — e eles têm razão em ficar. (RUSTIN, 1966)

Além do fato de que o nome do Partido da Liberdade do Condado de Lowndes (que será discutido em um capítulo posterior) não é o "Partido dos Panteras Negras", o SNCC tem afirmado muitas vezes que não se opõe à formação de coalizões políticas *per se*; obviamente, elas são necessárias em uma sociedade pluralista. Mas coalizões com quem? Em que termos? E com quais objetivos? Com muita frequência, coalizões envolvendo negros e negras têm estado apenas no nível de liderança; ditadas por termos estabelecidos por outros; e por objetivos que não foram estabelecidos para trazer grandes melhorias na vida das massas negras.

Neste capítulo, propomos reexaminar alguns dos pressupostos da escola da coalizão e comentar alguns casos de supostas alianças entre negros e outros grupos.[7] No processo dessa discussão, deve ficar nítido que os defensores do Poder Negro *não* fogem das

---

7. O capítulo IV será dedicado a um estudo de caso do Partido Democrata da Liberdade do Mississippi como um exemplo clássico do que pode acontecer quando os negros confiam em seus "aliados" políticos brancos.

coalizões; ao contrário, queremos estabelecer as bases sobre as quais achamos que as coalizões políticas podem ser viáveis.

As coalizões operam a partir do que podemos identificar como três mitos ou grandes falácias. *Primeiro*, que no contexto dos Estados Unidos de hoje, os interesses das pessoas negras são idênticos aos interesses de certos grupos liberais, trabalhistas e outros grupos reformistas. Esses grupos aceitam a legitimidade dos valores e instituições básicas da sociedade, e fundamentalmente não estão interessados em uma grande reorientação desta. Muitos adeptos da atual doutrina de coalizão reconhecem isso, mas, mesmo assim, gostariam de integrar pessoas negras a tais grupos. A suposição — que é um mito — é a seguinte: o que é bom para os Estados Unidos é automaticamente bom para o povo negro. *O segundo mito* é a falsa suposição de que uma coalizão viável pode ser realizada entre o politicamente e economicamente seguro e o politicamente e economicamente inseguro. *O terceiro mito* pressupõe que as coalizões políticas são ou podem ser sustentadas numa base moral, amigável e sentimental; por apelos à consciência. Vamos examinar cada uma dessas três noções separadamente.

• • •

O maior erro cometido pelos expoentes da teoria da coalizão é que eles defendem alianças com grupos que nunca tiveram como objetivo central a renovação necessariamente total da sociedade. No fundo, esses grupos aceitam o sistema estadunidense e querem apenas — se realmente querem — fazer reformas periféricas, marginais nele. Tais reformas são inadequadas para livrar a sociedade do racismo.

Voltamos aqui a um ponto importante abordado no primeiro capítulo: o senso dominante de superioridade que permeia a sociedade estadunidense branca. "Os liberais", não menos que outros, estão sujeitos a isso; o liberal branco deve ver a questão racial por meio de uma lente drasticamente diferente da do homem negro. Killian e Grigg estavam corretos quando falaram em *Racial Crisis in America*:

> [...] a maioria dos estadunidenses brancos, mesmo aqueles líderes brancos que tentam se comunicar e cooperar com seus pares negros, não veem a desigualdade racial da mesma forma que o negro vê. A pessoa branca, por mais liberal que seja, vive no casulo de uma sociedade dominada pelos brancos. Vivendo em uma área residencial branca, mandando seus filhos para escolas brancas, movendo-se em círculos sociais exclusivamente brancos, ela deve fazer um esforço especial para se expor às condições reais sob as quais muitos negros vivem. Mesmo quando tal exposição ocorre, é provável que sua percepção seja superficial e distorcida. A casa abaixo do padrão pode ser ofuscada em seus olhos pela antena de televisão ou pelo automóvel fora da casa. Ainda mais importante, não percebe as desigualdades subjetivas inerentes ao sistema de segregação, porque não as experimenta diariamente como uma pessoa negra as experimenta. Em termos simples, o estadunidense branco vive quase toda a sua vida em um mundo branco. O negro estadunidense vive grande parte de sua vida também em um mundo branco, em um mundo no qual é estigmatizado. (KILLIAN; CRIGG, 1964, p. 73)

Nosso argumento é que não importa quão "liberal" uma pessoa branca possa ser, ela não pode, em última análise, escapar da influência esmagadora — sobre si mesma e sobre pessoas negras — de sua branquidade em uma sociedade racista.

Pessoas brancas liberais dizem muitas vezes que estão cansadas de ouvir "você não consegue entender o que é ser negro". Alegam perceber e reconhecer isso. No entanto, os mesmos liberais muitas vezes se voltam e dizem aos negros que devem se aliar àqueles que não conseguem entender, que compartilham um senso de superioridade baseado na branquidade. O fato é que a maioria desses "aliados" não olham para os negros como parceiros iguais, nem percebem os objetivos como algo além da adoção de certas normas e valores ocidentais. O professor Milton M. Gordon, em seu livro *Assimilation in America Life* [Assimilação na vida dos Estados Unidos, em tradução livre], chamou esses valores de "anglo-conformidade" (1964, p. 88). Tal visão assume a "conveniência de manter as instituições inglesas (como modificadas pela Revolução Americana), a língua inglesa e os padrões culturais de orientação inglesa como padrões dominantes na vida estadunidense". Talvez alguém que tenha essas visões não seja racista no sentido estrito de nossa definição original, mas o resultado final de sua atitude é sustentar o racismo. Como diz Gordon,

> os não racistas anglo-conformistas presumivelmente estão convencidos da superioridade *cultural* das instituições anglo-saxônicas desenvolvidas nos Estados Unidos ou simplesmente acreditam que, independentemente da superioridade ou inferioridade, uma vez que a cultura inglesa constituiu a estrutura dominante para o desenvolvimento das instituições estadunidenses, os recém-chegados devem ajustar-se a elas. (GORDON, 1964, pp. 103-104)

Não acreditamos que seja possível formar coalizões relevantes a menos que ambas ou todas as partes não apenas estejam dispostas, mas também acreditem ser absolutamente necessário desafiar a conformidade anglo-saxônica e outras normas e instituições prevalecentes. A maioria dos grupos liberais com os quais estamos familiarizados não está tão disposta neste momento. Se esse for o caso, a coalizão está condenada à frustração e ao fracasso.

A posição anglo-conformista assume que o que é bom para os Estados Unidos — para os brancos — é bom para o povo negro. Rejeitamos isso. O Partido Democrata faz a mesma afirmação. Mas os direitos políticos e sociais do povo negro foram e sempre serão negociáveis e dispensáveis no momento que conflitarem com os interesses dos seus "aliados". Um exemplo evidente disso pode ser encontrado na cidade de Chicago, onde a máquina da "coalizão" democrata do prefeito Daley depende do apoio dos negros e, infelizmente, os negros votam consistentemente a favor dessa máquina. Observe os resultados, como descrito por Banfield e Wilson em *City Politics*:

> Os projetos cívicos que o prefeito Daley inaugurou em Chicago — limpeza de ruas, iluminação pública, construção de estradas, um novo aeroporto e um centro de convenções, por exemplo — foram escolhidos com astúcia. Eles eram altamente visíveis; beneficiaram tanto o condado quanto a cidade; na maioria das vezes não eram controversos; não exigiam muito aumento de impostos; e criaram muitos empregos razoavelmente bem pagos que os políticos podiam distribuir para seus aliados. *O programa do prefeito negligenciou solenemente os objetivos dos militantes negros,* as exigências pela aplicação do código de construção e (até que houve uma dramática exposição) as reclamações sobre ineficiência policial e corrupção. *Tudo isso foi controverso e, talvez o mais importante, não teria resultado imediato e visível; ou beneficiaria os eleitores do centro da cidade, cuja lealdade já era cativa de qualquer maneira,* ou então (como no caso da reforma policial) ameaçaria ferir a máquina em um ponto vital. (BANFIELD; WILSON, 1966, p. 124; grifo dos autores)

Enquanto o povo negro de Chicago — e o mesmo pode ser dito sobre cidades em todo o país — permanecer politicamente dependente da máquina democrata, seus interesses serão secundários em relação a essa máquina.

Sindicatos são outro exemplo de um aliado potencial que nunca considerou essencial questionar os valores e as instituições básicas da sociedade. Os primeiros defensores do sindicalismo acreditavam na doutrina do *laissez-faire*. Os sindicalistas da Federação Americana do Trabalho (AFL, em inglês) não queriam que o governo se envolvesse nos problemas trabalhistas, e provavelmente por uma boa razão. O governo então — nas décadas de

1870 e 1880 — era antitrabalhador, pró-empregador. Logo ficou evidente que o poder político seria necessário para atingir alguns dos objetivos do trabalhadores organizados, especialmente os objetivos dos sindicatos dos ferroviários. A AFL perseguiu o poder almejado e eventualmente o conquistou, mas genericamente permaneceu ligada aos valores e princípios da sociedade como era. Eles simplesmente queriam entrar; a rota era por meio de negociações coletivas e direito à greve. Os sindicatos estabeleceram seus objetivos em questões imediatas do cotidiano, com a exclusão de objetivos mais amplos.

Com a fundação e o desenvolvimento do sindicalismo industrial de massa sob o Congresso de Organizações Industriais (CIO, em inglês), começamos a ver uma ligeira mudança na orientação sindical geral. O CIO estava interessado em uma variedade maior de questões — comércio exterior, taxas de juros, até mesmo questões de direitos civis —, mas também nunca questionou seriamente a base racista da sociedade. Em *Politics, Parties and Pressure Groups*, o professor V. O. Key (1964) concluiu: "[...] sobre a questão fundamental do caráter do sistema econômico, a ideologia trabalhista dominante não desafiou a ordem estabelecida". O professor Selig Perlman (1951) escreveu: "[...] é um movimento trabalhista que defende o capitalismo, não apenas na prática, mas também em princípio". O caso das centrais sindicais, tão frequentemente celebradas como aliadas potenciais pelos teóricos da coalizão, ilustra as armadilhas do primeiro mito; como veremos mais adiante neste capítulo, sua história também desmistifica o segundo mito.

Outra fonte de aliança potencial frequentemente citada pelos expoentes das coalizões é o movimento liberal-reformista, especialmente em nível político local. Mas os vários grupos políticos reformistas — particularmente em Nova York, Chicago e Califórnia — frequentemente não estão sintonizados com os objetivos primários do povo negro. Eles estabelecem seus próprios objetivos e depois exigem que o povo negro se identifique com eles. Quando os líderes negros começam a articular metas no interesse das massas negras, os reformistas tendem, na maioria das vezes, a chamar isso de "racista" e a abandonar as metas. Os reformistas promovem programas de "bom governo" que resultariam no preenchimento de cargos por profissionais de classe média. Wilson (1962) declarou, em *The Amateur Democrat* [O democrata amador, em tradução livre], "Os candidatos do comitê especial seriam selecionados não apenas para os cargos importantes e de alta visibilidade, mas também para os cargos menos visíveis" (p. 128). Os negros que participaram das políticas locais de reforma — especialmente em Chicago — vêm da classe média alta. Os reformistas geralmente rejeitam a prática de escolhas políticas com diversidade, o que significa que tendem a ser "racialmente neutros" e desejam selecionar os candidatos somente com base em qualificações, no mérito. Isso em si não seria ruim, mas sua concepção de uma pessoa "qualificada" é geralmente uma pessoa que se encaixa no molde branco da classe média. Raramente, se é que alguma vez, se ouviu falar de reformistas defendendo que os líderes populares dos guetos se tornem representantes: esses dificilmente participam de comitês especiais. Mais uma vez, quando os reformistas pressionam para eleições em geral em oposição às eleições por distrito, eles não aumentam o poder político negro. Candidatos de primeira-classe, governo por especialistas técnicos, eleições de políticos que representariam uma área inteira — todas essas inovações comuns dos reformistas fazem pouco pelos negros.

Francis Carney (1959) conclui de seu estudo dos clubes reformistas liberais do Partido Democrata da Califórnia que, embora esses grupos fossem geralmente fortes em relação aos direitos civis, eles eram essencialmente de classe média. Isso só poderia perpetuar uma relação paternalista e colonial para os negros. Assim, mesmo quando os reformistas estão empenhados em fazer mudanças significativas no sistema, deve-se perguntar se essa mudança é consistente com os pontos de vista e interesses dos negros — conforme percebido por essas pessoas.

Frequentemente, temos visto que uma postura firme e militante assumida por líderes negros assusta os reformistas. Os últimos não conseguiram entender a militância dos primeiros: "Os democratas amadores (reformistas) são apaixonadamente comprometidos com uma posição militante em relação aos direitos civis, mas eles se esquivam das organizações negras militantes porque as acham 'muito sensíveis à raça'" (p. 285), diz Wilson em *The Amateur Democrat*, citando como exemplo os eleitores independentes de Illinois, que sentiram que não podiam se alinhar com o desejo de alguns membros negros de assumir uma posição firme, pró-direitos civis e anti-Daley. Os políticos liberais-reformistas não conseguiram aceitar plenamente a necessidade de os negros se posicionarem firmemente e por si mesmos. Esse é um dos maiores pontos de tensão entre os dois conjuntos de grupos hoje; essa diferença deve ser resolvida antes que possam ser formadas coalizões viáveis entre os dois.

Para resumir a nossa rejeição do primeiro mito: como está escrito nos capítulos I e II, as instituições políticas e econômicas desta sociedade devem ser completamente revisadas para que o status político e econômico do povo negro possa ser melhorado. Não acreditamos que essas mesmas instituições possam ser utilizadas — por meio do mecanismo de coalizão — para realizar essa revisão. Não vemos como os negros possam formar coalizões eficazes com grupos que não estão dispostos a questionar e condenar as instituições racistas que exploram os negros; que não percebem a necessidade de, e não vão trabalhar para, mudanças básicas. O povo negro não pode assumir que o que é bom para a parcela branca dos Estados Unidos é automaticamente bom para o povo negro.

• • •

O segundo mito com o qual lidaremos é a suposição de que um grupo politicamente e economicamente seguro pode colaborar com um grupo politicamente e economicamente inseguro.

Nosso argumento é que tal aliança é baseada em fundamentos muito instáveis. Por definição, os objetivos das respectivas partes são diferentes. Dizem às pessoas negras que devem formar coalizões à maneira das formadas com os chamados Agrários Radicais — depois populistas — na última parte do século 19. Em 1886, a Colored Farmers' National Alliance and Cooperative Union [Aliança e União Cooperativa Nacional dos Agricultores de Cor] foi formada, curiosamente, por um ministro batista branco no Texas. A plataforma do grupo era semelhante a das já existentes alianças de agricultores do Norte e do Sul, que eram brancas. Mas, após um exame mais atento, era possível ver diferenças substanciais nos interesses e objetivos. O grupo negro era favorável a um projeto de lei do Congresso (The Lodge Federal Elections Bill ou Lodge Bill) que visava garantir os direitos de voto dos negros do Sul; o grupo branco se opôs ao projeto. Em 1889, um grupo de agricultores negros na Carolina do Norte acusou a Aliança do Sul de estabelecer baixos salários e influenciar o legislativo estadual a aprovar leis discriminatórias. Dois anos mais tarde, a Aliança dos Agricultores de Cor convocou uma greve dos colhedores negros de algodão. Os professores August Meier e Elliot Rudwick fazem uma série de perguntas sobre esses dois grupos em *From Plantation to Ghetto* [Das Plantações para o Gueto, em tradução livre]:

> Em que circunstâncias os negros aderiram e em que medida, se é que houve alguma, a participação foi encorajada (ou mesmo exigida) por empregadores brancos que eram membros da Aliança do Sul? [...] É possível que a Aliança dos Agricultores de Cor fosse algo como um sindicato de empresas, desintegrando-se apenas quando se tornou evidente que os rendeiros negros se recusavam a seguir os ditames de seus empregadores brancos? [...] E como foi que os homens da Aliança do Sul e os populistas foram mais tarde levados tão facilmente a ações extremas antinegro? Apesar de vários gestos para obter apoio negro, atitudes como as exibidas

na Carolina do Norte e no Lodge Bill argumentariam que qualquer solidariedade interracial existente não estava firmemente enraizada. (MEIER; RUDWICK, 1966, pp. 158-159)

O fato é que o grupo branco tinha relativamente mais segurança do que o grupo negro. Como C. Vann Woodward escreve em *Tom Watson, Agrarian Rebel* [Tom Watson, Rebelde Agrário, em tradução livre], "é sem dúvida verdade que a ideologia populista era predominantemente a do fazendeiro proprietário de terra, que era, em muitos casos, o explorador da mão de obra dos rendeiros sem-terra" (1963, p. 18). É difícil visualizar a base sobre a qual os dois poderiam fazer uma coalizão e criar uma aliança significativa para o grupo dos sem-terra, um grupo sem proteção social; não é surpresa, então, saber das ações antinegro acima citadas e perceber que a relação dos negros com os populistas não era o arranjo harmonioso que algumas pessoas hoje querem que acreditemos.

É verdade que os negros em St. Louis e Kansas apoiaram os populistas na eleição de 1892, e os negros da Carolina do Norte os apoiaram em 1896. Mas também é verdade que os populistas da Carolina do Sul, sob a liderança de Ben Tillman, conspiraram contra o homem negro. Em alguns lugares como a Geórgia, os populistas "se fundiram" com a ala branca antinegro do Partido Republicano e não com a ala que apoiava a diversidade.

Ou então, veja o caso de Tom Watson. Esse populista da Geórgia foi em tempos um defensor ferrenho de uma frente unida entre negros e brancos. Em 1892, escreveu:

> Vocês são mantidos à parte para que possam ser separados de seus ganhos. Vocês são feitos para se odiarem, porque sobre esse ódio repousa a pedra fundamental do arco do despotismo financeiro que escraviza a ambos. Vocês são enganados e cegados para não verem como este antagonismo racial perpetua um sistema monetário que faz ambos terem que pedir. (WATSON, 1892, p. 548)

Mas esse é o mesmo Tom Watson que, poucos anos depois e porque a maré política estava fluindo contra tal aliança, fez uma reviravolta completa. Naquela época, os democratas estavam retirando dos negros o direito ao voto estado após estado. Mas como John Hope Franklin registrou em *From Slavery to Freedom*,

> eles acreditavam que os democratas nunca haviam retirado completamente os direitos dos negros, porque seus votos eram necessários para que os democratas permanecessem no poder onde os populistas não conseguiam controlar o voto negro, como na Geórgia em 1894. Essa crença levou o derrotado e desapontado Tom Watson a apoiar uma emenda constitucional retirando o direito de negros votarem — uma inversão completa de sua posição ao denunciar a Carolina do Sul por ter adotado tal emenda em 1895. (FRANKLIN, 1957, p. 218)

Watson estava disposto a se aliar aos candidatos brancos que eram democratas com posicionamento contrário à máquina democrata. Com a abolição do voto negro, os populistas se posicionaram para manter o equilíbrio de poder entre as facções beligerantes do Partido Democrata. Mais uma vez, C. Vann Woodward o diz em seu livro, *Tom Watson, Agrarian Rebel*:

> Ele [Watson] [...] prometeu seu apoio, e o apoio dos populistas, a qualquer candidato democrata antimáquina que concorresse com uma plataforma adequada incluindo a promessa de "uma mudança em nossa Constituição que perpetuará a supremacia branca na Geórgia".

Como Watson conseguiu conciliar sua doutrina democrática radical com uma proposta de retirar o direito ao voto de um milhão de cidadãos de seu estado natal não é muito nítido.

"O povo branco não ousará se revoltar enquanto estiver intimidado pelo medo do voto negro", explicou ele. Uma vez que o "bicho-papão da dominação negra" fosse removido, entretanto, "todo homem branco agiria de acordo com sua própria consciência e julgamento ao decidir como votará". Com essas palavras, Watson abandonou seu antigo sonho de unir as duas raças contra o inimigo e deu seu primeiro passo em direção ao extremo oposto nas visões raciais. (WOODWARD, 1963, pp. 371-372)

Os populistas e Watson sempre surgem como politicamente motivados. A história do período nos mostra que os brancos — sejam populistas, republicanos ou democratas — sempre tiveram seus próprios interesses em mente. O homem negro era pouco mais do que uma bola de futebol política, para ser jogada e chutada por aí à conveniência de outros cuja posição fosse mais segura.

Podemos aprender a mesma lição com a política da cidade de Atlanta, Geórgia, hoje. É geralmente reconhecido que o voto dos negros é crucial para a eleição de um prefeito. Isso foi verdade no caso de William B. Hartsfield, e não é menos verdade para o atual prefeito, Ivan Allen Júnior. A coalizão que domina a política de Atlanta foi assim descrita pelo professor Edward Banfield em *Big City Politics* [Política de Cidade Grande, em tradução livre]:

> A aliança entre a classe média branca liderada pelos empresários e a população negra é o principal fato da política e do governo locais; somente dentro desses limites é permitido que qualquer coisa possa ser feita, e muito do que é feito é com o propósito de manter essa aliança funcionando. (BANFIELD, 1965, p. 35)

O prefeito Hartsfield montou um "banco de três pernas" como base de poder. A estrutura de poder empresarial, com a classe média que apoia o "bom governo" e toma a liderança dessa estrutura de poder, é uma perna. A imprensa de Atlanta é outra. A terceira perna é a comunidade negra. Mas algo está errado com esse banco. Em primeiro lugar, é evidente, a terceira perna é oca. A comunidade negra de Atlanta é dominada por uma estrutura de poder negra de "líderes" como aqueles que descrevemos no capítulo I: preocupados principalmente em proteger seus próprios interesses e sua suposta influência com a estrutura de poder branca, não dialogam com e não representam as massas negras. Mas mesmo esse grupo privilegiado é econômica e politicamente inseguro em comparação às outras duas forças com as quais se uniram. Note esta descrição feita por Banfield:

> Três associações de empresários, *cuja liderança se sobrepõe bastante*, desempenham papéis importantes em assuntos da cidade. A Chamber of Commerce [Câmara de Comércio] lança ideias que muitas vezes são adotadas como política oficial da cidade, e está sempre muito envolvida nos esforços para obter empréstimos entre investidores e corporações. A Central Atlanta Association [Associação Central de Atlanta] está particularmente preocupada com o distrito comercial do centro da cidade e tem assumido a liderança nos esforços para melhorar as vias expressas, o transporte público e a renovação urbana. Seu boletim informativo semanal é amplamente lido e respeitado. *A Uptown Association [Associação Uptown] é um veículo utilizado por bancos e outros proprietários para manter uma linha de fronteira contra a expansão do distrito negro. Para alcançar este objetivo, apoia projetos de renovação urbana não residencial.* (BANFIELD, 1965, pp. 31-32; grifo do autor)

A considerável burguesia negra de Atlanta não pode competir com esses grupos de interesse.

Os interesses políticos e econômicos que levam os líderes brancos a entrar na coalizão são evidentes. Assim como o fato de que esses interesses são muitas vezes diametralmente opostos aos interesses dos negros. Basta ver o que o negro recebeu por seu apoio fiel a "parceiros de aliança" que têm uma vida financeira estável e são politicamente privilegiados. Banfield fala sucintamente a respeito: "Hartsfield não deu ao negro praticamente nada em troca de seu voto" (p. 30). Esses votos, em 1957, foram 90% dos vinte mil votos expressos pelos negros.

Em 1963, um grupo de líderes da comunidade negra do sudeste de Atlanta documentou as injustiças sofridas pelos sessenta mil negros daquela comunidade. A longa lista de queixas incluía falhas no sistema de esgoto, necessidade de construção de calçadas, ruas que deveriam ser pavimentadas, serviço de ônibus deficiente, falta de controle de tráfego, áreas habitacionais de baixa qualidade, parques e instalações recreativas inadequadas, segregação escolar e escolas negras inadequadas. O relatório afirmava:

> As autoridades da cidade de Atlanta têm se esforçado para criar uma imagem de Atlanta como uma cidade moderna e progressista, em rápido crescimento, onde todos os cidadãos podem viver em um ambiente decente e saudável. Essa imagem é uma mentira deslavada, uma vez que a cidade não oferece clínicas de saúde para seus cidadãos, mas confia inteiramente nas instalações inadequadas do município. É uma mentira, uma vez que essas clínicas de saúde são segregadas e a cidade não toma nenhuma medida para acabar com essa segregação. Devido à segregação, apenas uma das quatro clínicas de saúde da zona sul está disponível para mais de sessenta mil negros. Essa clínica [...] é pequena, seu equipamento inadequado e ultrapassado, e seu serviço é perigosamente lento devido à superlotação do sistema.

Em 1962, a cidade empregava 5.663 trabalhadores, dos quais 1.647 eram negros, mas apenas duzentos deles faziam tarefas que não fossem de serviços gerais. O documento lista vinte e dois departamentos nos quais, dos 175 operadores de equipamentos do departamento de construção, nenhum era negro. A cidade nem mesmo finge fazer o dever de casa: havia apenas uma biblioteca pública na comunidade, uma única sala com doze mil volumes (a maioria livros infantis) para sessenta mil pessoas (ATLANTA CIVIC COUNCIL, 1963).

Foi isso que a "política de coalizão" conquistou para os cidadãos negros de uma cidade com uma comunidade considerável de pessoas negras. A situação nos guetos de Atlanta também não tinha melhorado muito até 1966. Quando protestos ocorreram na comunidade de Summerhill, grupos locais indicaram que as condições da comunidade eram deploráveis e, muitos meses antes, alertaram que a eclosão de protestos era uma questão de tempo.

Os negros devem finalmente perceber que tais coalizões, tais alianças *não têm acontecido* para o seu interesse. Eles estão se "aliando" a forças nitidamente não consistentes com o progresso a longo prazo dos negros; na verdade, os brancos entram na aliança em muitos casos justamente para impedir esse progresso.

Os sindicatos de trabalhadores também ilustram muito nitidamente a natureza traiçoeira das coalizões entre os economicamente seguros e os economicamente vulneráveis. Desde a aprovação da Lei de Wagner em 1935 (que deu aos sindicatos o direito de se organizarem e negociarem coletivamente), os sindicatos vêm consolidando sua posição, conquistando vitórias econômicas para seus membros e, geralmente, se desenvolvendo com a crescente prosperidade do país. E os trabalhadores negros durante esse período?

O status dos trabalhadores negros tem sido de constante deterioração e não de progresso. É de conhecimento geral que os sindicatos de trabalhadores manuais (impressores, encanadores, pedreiros e eletricistas) da American Federation of Labor (AFL) [Federação Americana do Trabalho] excluíram deliberadamente os trabalhadores negros no decorrer dos anos. Esses sindicatos tomaram conta dos seus — dos seus brancos. Enquanto isso, a taxa de desemprego dos trabalhadores negros aumentou, dobrando, em alguns casos, a taxa de desemprego dos trabalhadores brancos. Os próprios sindicatos nem sempre foram inocentes em relação a este desenvolvimento:

> [...] A batalha já dura mais de vinte anos e, em vez de mais negros aderirem aos sindicatos, menos o fazem; o aumento da sindicalização significou, em muitos casos, uma diminuição das oportunidades de trabalho para os negros. [...]

> Quando a International Brotherhood of Electrical Workers [Fraternidade Internacional dos Trabalhadores Eletricistas] se tornou agente de negociação coletiva na Companhia Bauer Electric em Hartford, Connecticut, no final dos anos quarenta, o sindicato exigiu e conseguiu a remoção de todos os negros eletricistas de seus empregos. A desculpa utilizada foi que o contrato sindical especificava "somente brancos", não podiam e não iriam mudar isso para manter o emprego dos negros que estavam na fábrica antes do sindicato ser reconhecido. Casos similares podem ser encontrados em outros sindicatos. (BAIN, 1963, p. 455)

Justamente *por causa* do reconhecimento sindical, os trabalhadores negros *perderam* seus empregos.

A situação tornou-se tão ruim que em 1959 os trabalhadores negros da AFL-CIO, American Federation of Labor and Congress of Industrial Organizations [Federação Americana do Trabalho e Congresso de Organizações Industriais], sob a liderança de A. Philip Randolph, organizaram o Conselho Negro Americano do Trabalho (NALC). Alguns trabalhadores negros finalmente aceitaram a realidade de que tinham que ter seus próprios representantes negros para que suas exigências fossem feitas e atendidas. Os membros da Federação não aceitaram muito bem a formação do grupo. Randolph disse à convenção da Associação Nacional para o Progresso de Pessoas de Cor (National Association for the Advancement of Colored People; NAACP), em junho de 1960, em St. Paul, Minnesota, que "um abismo de mal-entendidos" parecia estar aumentando entre a comunidade negra e a comunidade sindical. Ele ainda declarou:

> É lamentável que alguns de nossos amigos liberais, com alguns dos líderes sindicais, ainda não compreendam a natureza, escopo, profundidade e desafio desta revolução dos direitos civis que está surgindo nas fileiras sindicais. Eles preferem ver todas as críticas à AFL-CIO por causa da discriminação racial como ameaças. (LABOR-NEGRO, 1960, p. 79)

Tornou-se evidente para muitos líderes negros que a mão de obra organizada opera a partir de um conjunto diferente de premissas e com uma lista diferente de prioridades, e que o status dos trabalhadores negros não ocupa uma alta posição nessa lista. Na verdade, eles são altamente dispensáveis, assim como na arena política. Como descrito na seguinte observação:

> [...] a separação tem causas ainda mais profundas. Surge a partir da declaração negra de independência e afastamento da liderança e direção branca na luta pelos direitos civis — a visão do negro hoje é que os brancos, nos sindicatos ou em outros campos, não são defensores confiáveis dos negros, e que somente os negros conseguirão conquistar vitórias raciais.
>
> "Os sindicalistas e trabalhadores negros devem carregar sua própria cruz para sua própria libertação. Eles devem tomar suas próprias decisões com relação a sua vida, trabalho e liberdade", disse Randolph à NAACP. (LABOR-NEGRO, 1960, p. 79)

O próprio Conselho Negro Americano do Trabalho, entretanto, sugere que tais realizações podem não ser suficientes. A nossa posição é que um grupo efetivo não pode ser organizado *dentro* de uma associação maior. O subgrupo terá que aceitar os objetivos e as exigências do grupo maior; ele só alivia o peso na consciência — no entanto, não tem uma base de poder independente a partir da qual possa operar. A coalizão entre o forte e o fraco, em última instância, leva apenas à perpetuação do status hierárquico: superior e subordinado.

Também é importante notar que os sindicatos de serviços manuais da AFL nasceram e consolidaram suas posições ao mesmo tempo em que este país começava a se expandir de forma imperialista na América Latina e nas Filipinas. Tal expansão aumentou a segurança econômica dos trabalhadores brancos dos sindicatos. Assim, o sindicalismo participou da exploração dos povos de cor no exterior e dos trabalhadores negros em casa.

O povo negro hoje está começando a se afirmar numa época em que os velhos mercados coloniais estão desaparecendo; antigas colônias africanas e asiáticas estão lutando pelo direito de controlar seus próprios recursos naturais, livre da exploração pelo capitalismo ocidental e estadunidense. Com quem os trabalhadores organizados e economicamente seguros vão se aliar — com os grandes negócios de exploração ou com os povos de cor, pobres e economicamente vulneráveis? Essa pergunta dá um significado adicional para a luta dos trabalhadores negros aqui. A resposta, infelizmente, parece suficientemente nítida.

Não podemos ver, então, como pessoas negras, que são extremamente frágeis tanto política como economicamente, podem se unir àqueles cuja posição é segura — especialmente quando a segurança dos últimos é baseada na perpetuação da estrutura política e econômica existente.

• • •

O terceiro mito parte da premissa de que as coalizões políticas podem ser sustentadas em bases morais, amigáveis ou sentimentais, ou em apelos à consciência. Encaramos isso como um mito, porque acreditamos que as relações políticas se baseiam no interesse próprio: benefícios a serem ganhos e perdas a serem evitadas. Em sua maioria, a política do homem é determinada por sua avaliação do bem e do mal materiais. A política resulta de um conflito de interesses, não de consciências.

Frequentemente ouvimos falar do grande valor moral da pressão de vários grupos eclesiásticos para a aprovação das Leis de Direitos Civis de 1964 e 1965. Não há dúvida de que um número significativo de clérigos e grupos leigos participaram do lobby bem-sucedido dessas leis, mas devemos ter cuidado para não enfatizar em demasia o valor disso. Para começar, muitos desses grupos religiosos estavam disponíveis apenas até que os projetos de lei fossem aprovados; sua força moral não está disponível para o importantíssimo processo de garantir a implementação federal dessas leis, especialmente no que diz respeito à nomeação de mais registradores eleitorais federais e ao estabelecimento de diretrizes para a dessegregação escolar.

Deve-se ressaltar também que muitas dessas pessoas não se sentiram tão moralmente obrigadas quando as questões se aproximaram demais de seus territórios — no Norte, por exemplo. Eles poderiam ser moralmente presunçosos quanto à aprovação de uma lei para dessegregar as lanchonetes ou mesmo uma lei garantindo aos negros do Sul o direito de voto. Mas as leis contra a discriminação no emprego e na moradia — que afetariam tanto o Norte quanto o Sul — são outra coisa. Afinal de contas, os ministros do Norte e do Sul são muitas vezes expulsos de seus púlpitos se agirem ou discursarem de forma contundente em favor dos direitos civis. Seus fiéis não perdem o sono à noite preocupados com o status oprimido dos negros estadunidenses; eles não estão moralmente dilacerados dentro de si mesmos. Como Silberman disse, eles simplesmente não querem que sua paz seja perturbada e seus negócios prejudicados.

Não queremos criticar a Igreja em particular; o que dissemos se aplica a todos os outros "aliados" do povo negro. Além disso, não procuramos condenar esses grupos por serem o que são, mas enfatizar um fato da vida: não podemos contar com eles quando surge um conflito de interesses. A moral e os sentimentos não podem resistir a tais conflitos, e os negros devem se dar conta disso. Nenhum grupo deve entrar em uma aliança ou coalizão confiando na "boa vontade" do aliado. Se o aliado optar por abandonar essa "boa vontade", pode fazê-lo normalmente sem que o outro possa impor-lhe sanções de qualquer tipo.

Assim, rejeitamos o último mito. Ao fazer isso, voltamos a enfatizar um ponto mencionado no capítulo I. Alguns acreditam que existe um conflito entre o "credo estadunidense" e as práticas estadunidenses. O credo deve conter considerações de igualdade e liberdade, pelo menos igualdade de oportunidades, e justiça. O fato é que essas são simplesmente palavras que nem mesmo originalmente se destinavam a ter aplicabilidade aos negros: o artigo I da Constituição afirma que o homem negro é três quintos de uma pessoa.[8] O fato é que as pessoas vivem sua vida cotidiana tomando decisões práticas do dia a dia sobre seus empregos, lares, crianças. E em uma sociedade materialista e orientada para o lucro, há pouco tempo para refletir sobre credos, especialmente se isso poderia significar mais competição no emprego, valores de propriedades mais baixos e a filha casando-se com um negro. Não há "dilema estadunidense", não há um "pendor moral", e os negros não devem basear as decisões na suposição de que existe um dilema. Pode ser útil articular essas suposições para constranger, criar pressão internacional, educar. Mas elas não podem formar a base para coalizões viáveis.

• • •

Quais são, então, as bases para coalizões viáveis?

Antes de se começar a falar de coalizão, deve-se estabelecer nitidamente as premissas em que essa coalizão se baseará. Todas as partes da coalizão devem perceber um objetivo *mutuamente* benéfico baseado na concepção de *cada* parte de seu interesse próprio. Uma parte não deve assumir cegamente que o que é bom para uma é automaticamente — inquestionavelmente — bom para a outra. Os negros devem primeiro se perguntar o que é bom para eles mesmos, e então podem determinar se o "liberal" está disposto a se unir. Eles devem reconhecer que as instituições e organizações políticas não têm consciência fora de seus próprios interesses específicos.

Em segundo lugar, há uma evidente necessidade de bases de poder genuíno antes que as pessoas negras possam entrar em coalizões. Os líderes dos direitos civis que, no passado ou no

---

8. "O número de representantes, assim como os impostos diretos, será repartido entre os vários estados que fizerem parte da União, de acordo com seus respectivos números, que serão determinados pelo número total de pessoas livres, incluindo as pessoas em estado de servidão por tempo determinado, e excluindo os indígenas não tributados, irá se somar três quintos de todas as outras pessoas."

presente, dependem essencialmente do "sentimento nacional" para obter a aprovação da legislação de direitos civis, revelam o fato de que estão operando a partir de uma "base sem poder". Precisam apelar para a consciência, as boas graças da sociedade; eles são, como observado anteriormente, escalados para o papel de pedinte, torcendo que alguém se compadeça. É muito significativo que as duas organizações de direitos civis mais antigas, a NAACP e a Liga Urbana, tenham estatutos que proíbem especificamente a atividade política partidária. (O Congresso da Igualdade Racial já o fez, mas mudou essa cláusula quando mudou sua orientação em favor do Poder Negro.) Isso é perfeitamente compreensível em termos da estratégia e dos objetivos das organizações mais antigas, o conceito do movimento de direitos civis como uma espécie de ligação entre a poderosa comunidade branca e a comunidade negra dependente. O status de dependência da comunidade negra aparentemente não era importante, uma vez que, se o movimento fosse bem-sucedido, essa comunidade se misturaria à sociedade branca de qualquer forma. Não havia a pretensão de organizar e desenvolver instituições de poder comunitário dentro da comunidade negra. Nenhuma tentativa foi feita para criar qualquer base de força política organizada; tal atividade era até mesmo proibida, como nos casos mencionados acima. Todos os problemas seriam resolvidos pela formação de coalizões com sindicalistas, igrejas, clubes reformistas e, especialmente, com os democratas liberais.

Os capítulos subsequentes apresentarão estudos de caso mostrando como tal abordagem é falaciosa. Entretanto, já deve estar nítido que a construção de uma força independente é necessária; que o Poder Negro é necessário. Se não aprendermos com a história, estamos condenados a repeti-la e essa é precisamente a lição da Era da Reconstrução. Os negros podiam se registrar, votar e participar da política, pois era vantajoso para os poderosos "aliados" brancos permitirem isso. Mas tais avanços sempre surgiram de decisões brancas. Essa era de participação negra na política foi encerrada por outro conjunto de decisões brancas. Não havia uma base política independente poderosa na comunidade negra do Sul para desafiar a restrição dos direitos políticos. Neste ponto da luta, o povo negro não tem garantia — exceto uma espécie de otimismo idiota e fé em uma sociedade cuja história é de racismo — que, se fosse necessário, mesmo os árduos e limitados ganhos concedidos ao movimento de direitos civis pelo Congresso não seriam revogados tão logo ocorresse uma mudança nos sentimentos políticos. (Um exemplo vívido disso ocorreu em 1967 com as medidas do Congresso para diminuir e eviscerar as disposições de dessegregação escolar da Lei de Direitos Civis de 1964.) Devemos construir essa garantia e construí-la sobre bases sólidas.

Também reconhecemos o potencial para coalizões limitadas e de curto prazo sobre questões relativamente menores. Mas devemos observar que tais abordagens raramente confrontam as raízes do racismo institucional. Na realidade, pode-se argumentar que tais coalizões sobre questões secundárias são, a longo prazo, prejudiciais. Elas podem levar brancos e negros a pensar que seus interesses a longo prazo não entram em conflito quando de fato entram, ou que tais questões menores são as únicas que podem ser resolvidas. Com essas limitações em mente e com um espírito de cautela, o povo negro pode abordar possibilidades de coalizão para objetivos específicos.

As coalizões viáveis, portanto, decorrem de quatro condições prévias: (a) o reconhecimento pelas partes envolvidas de seus interesses próprios; (b) a convicção mútua de que cada parte pode se beneficiar em termos desse interesse próprio ao se aliar à outra ou a outras partes; (c) a aceitação do fato de que cada parte tem sua própria base de poder independente e não depende de uma força externa para a tomada de decisão final; e (d) a percepção de que a coalizão lida com objetivos específicos e identificáveis — ao contrário de vagos e genéricos.

O cerne da questão é explicado em *The Prince and the Discourses* [O Príncipe], por Maquiavel:

E aqui deve ser observado que um príncipe nunca deve se aliar a um príncipe mais poderoso do que ele para ferir outro, a menos que a necessidade o obrigue a isso. [...] porque se o aliado vencer, a conquista será dele, e os príncipes devem evitar ao máximo estar sob a vontade e o prazer de outros. (MACHIAVELLI, 1950, p. 84)

Maquiavel reconheceu que a "necessidade" às vezes pode forçar o mais fraco a aliar-se ao mais forte. Nossa visão é que aqueles que defendem o Poder Negro devem lutar para minimizar essa necessidade. É absolutamente nítido que tais alianças raramente, ou nunca, podem ser significativas para o parceiro mais fraco. Elas não podem oferecer as condições ideais de um *modus operandi* político. Portanto, se e quando tais alianças forem inevitáveis, não devemos acreditar cegamente na possibilidade de que levem a um benefício final e substancial para a força mais fraca.

Deixe o povo negro se organizar *primeiro*, definir seus interesses e objetivos, e só então ver quais tipos de aliados estão disponíveis. Que qualquer grupo do gueto que vislumbra uma coalizão seja tão bem organizado, tão forte, que — nas palavras de Saul Alinsky — seja um "corpo indigesto" que não possa ser absorvido ou engolido.[9] Os defensores do Poder Negro não se opõem às coalizões *per se*. Mas *não* estamos interessados em coalizões baseadas em mitos. Na medida em que os negros possam formar coalizões *viáveis*, os resultados dessas alianças serão duradouros e significativos. Haverá uma compreensão mais nítida do que se busca; haverá um ímpeto maior de todos os lados para alcançar os objetivos, porque haverá respeito *mútuo* do poder do outro para recompensar ou punir; haverá muito menos probabilidade de os líderes abandonarem seus seguidores. O Poder Negro, portanto, não tem nenhum viés de "vá sozinho". O Poder Negro simplesmente diz: entre nas coalizões somente

---

9. Saul Alinsky falando na Convocação do Fundo de Defesa Legal de 1967, na cidade de Nova York, 18 de maio de 1967.

depois que você for capaz de "se manter por conta própria". O Poder Negro procura corrigir a abordagem da dependência, remover essa dependência e estabelecer uma base psicológica, política e social viável sobre a qual a comunidade negra possa funcionar para satisfazer suas necessidades.

• • •

No início de nossa discussão sobre o Poder Negro, dissemos que os negros devem se redefinir, afirmar novos valores e objetivos. O mesmo vale para os brancos de boa vontade; eles também precisam redefinir a si mesmos e seu papel.

Algumas pessoas acreditam que os defensores do Poder Negro estão interessados em afastar os brancos da luta dos direitos civis. Isso nunca foi verdade. Há um papel definido, muito necessário, que os brancos podem desempenhar. Esse papel pode ser melhor examinado em três níveis diferentes, mas ainda inter-relacionados: educativo, organizacional e de apoio. Dada a natureza difundida do racismo na sociedade e a medida em que atitudes de superioridade branca e inferioridade negra foram incorporadas, é muito necessário que as pessoas brancas comecem a se desabituar de tais noções. O povo negro, como dissemos anteriormente, desafiará velhos valores e normas, mas os brancos que reconhecem a necessidade também devem trabalhar nesta esfera. Os brancos têm acesso a grupos da sociedade que nunca foram alcançados pelos negros. Eles devem entrar nesses grupos e ajudar a desempenhar essa função educativa essencial.

Uma das coisas mais perturbadoras sobre quase todos os apoiadores brancos é que eles relutam em entrar em suas próprias comunidades — que é onde o racismo existe — e trabalhar para se livrar dele. Não estamos falando agora dos brancos que trabalharam para que os negros fossem "aceitos", individualmente, pela sociedade branca. Desses, há muitos; seus esforços são, sem dúvida, bem intencionados e individualmente úteis. Mas muitas vezes esses esforços estão voltados para as mesmas falsas premissas da integração; muitas vezes, a sociedade na qual procuram a aceitação de alguns negros pode se dar ao luxo desse gesto. Em vez disso, falamos daqueles brancos que enxergam a necessidade de uma mudança basilar e tenham se ligado ao movimento de libertação dos negros, porque parecia ser o agente mais promissor de tal mudança. No entanto, costumam advertir os negros a não serem violentos. Eles deveriam pregar a não violência na comunidade branca. Sempre que possível, também podem educar outros brancos sobre a necessidade do Poder Negro. As possibilidades são muitas, e dependem da classe social e dos locais que a pessoa branca frequenta.

Mais amplamente, há a função muito importante de trabalhar para reorientar as atitudes e políticas desta sociedade em relação aos países africanos e asiáticos. Em todo o país, comunidades brancas mostram uma pobreza de consciência, uma pobreza de humanidade, na verdade, uma incapacidade de agir de maneira civilizada com os seres humanos não anglo-saxões. As vizinhanças abastadas da classe média branca precisam tanto de escolas que discutam as questões raciais quanto as comunidades negras. A anglo-conformidade também é um peso morto em seus pescoços. Tudo isso é um papel educativo a ser desempenhado por aqueles brancos tão dispostos.

O papel organizacional é o próximo. Espera-se que eventualmente haja uma coalizão de pobres negros e pobres brancos. Essa é a única coalizão que nos parece aceitável, e a vemos como o principal instrumento interno de mudança na sociedade estadunidense. Hoje em dia, falar em unir negros e brancos pobres é puramente teoria, mas deve-se tentar a criação de um bloco de poder branco pobre dedicado aos objetivos de uma sociedade livre e aberta, isto é, não baseada em racismo e subordinação. A principal responsabilidade por essa tarefa recai sobre os brancos. Pessoas negras e brancas podem trabalhar juntas na comunidade branca sempre que possível; não é possível, entretanto, ir a uma cidade pobre do Sul e falar de "integração" ou mesmo de dessegregação. Os pobres brancos estão se tornando mais hostis — não menos hostis — aos negros, em parte porque eles veem a atenção da nação focada na pobreza negra e pouca, se é que alguma, atenção chegando até eles.

Somente os brancos podem mobilizar e organizar essas comunidades de acordo com as diretrizes necessárias e possíveis para uma aliança efetiva com as comunidades negras. Esse trabalho não pode ser deixado às instituições e organizações existentes, porque essas estruturas, em sua maioria, são reflexos do racismo institucional. Para que o trabalho seja feito, novas formas devem ser criadas. Portanto, o processo de modernização política deve envolver tanto a comunidade branca quanto a negra.

Defendemos que as organizações negras devem ser lideradas por pessoas negras, devem ser essencialmente compostas por pessoas negras e suas políticas feitas por pessoas negras. Os brancos podem e desempenham papéis de apoio muito importantes nessas organizações. Aonde forem com habilidades e técnicas específicas, serão avaliados nesses termos. No entanto, com muita frequência, vários jovens de classe média, brancos e imaturos, queriam "acordar pra vida" por meio da comunidade negra e de grupos negros. Eles queriam estar onde a ação está — e a ação está nesses lugares. Procuraram refúgio entre negros, refúgio de uma vida estéril, sem sentido e irrelevante nos Estados Unidos de classe média. Eles foram incapazes de lidar com a mentalidade sufocante, racista, paroquial e divisionista de seus pais, professores, pastores e amigos. Muitos chegaram "sem enxergar diferenças raciais", vieram "racialmente daltônicos". Mas neste momento e nesta terra, a cor é um fator e não devemos ignorar ou negar isso. As organizações negras não precisam desse tipo de idealismo, que beira o paternalismo. Os brancos que trabalham no SNCC entenderam isso. Há advogados brancos que defendem os trabalhadores negros dos direitos civis nos tribunais e militantes brancos que apoiam movimentos negros em todo o país. Sua função não é liderar ou estabelecer políticas ou tentar definir o povo negro para o povo negro. Seu papel é de apoio.

Em última análise, os ganhos de nossa luta só terão sentido quando consolidados por coalizões viáveis entre negros e brancos que se aceitam como parceiros equivalentes e que identificam seus objetivos como política e economicamente similares. Nessa fase, dada a natureza da sociedade, papéis distintos devem ser desempenhados. A acusação de que essa abordagem é "antibranco" permanece tão imprecisa quanto quase todos os outros comentários públicos sobre o Poder Negro. Não há nada de novo; sempre que os negros se movem rumo a uma ação genuinamente independente, a sociedade distorce suas intenções ou condena seus resultados. A história a ser contada no próximo capítulo ilustra esse ponto, bem como todas as nossas principais teses até o momento.

democratas do partido da liberdade do mississippi: a falência do establishment

IV

Nos três primeiros capítulos, tentamos delinear as premissas dos tipos de ação política que os negros neste país devem adotar. Nitidamente, essa ação deve incluir o desenvolvimento de novas estruturas políticas, novas formas para lidar com problemas antigos e persistentes. Neste capítulo, examinaremos uma dessas formas: o Partido Democrata da Liberdade do Mississippi (MFDP, sigla em inglês).

Ao fazer isso, deveria ficar evidente por quais motivos os negros são ou deveriam ser cuidadosos com coalizões sem sentido — coalizões feitas essencialmente para manter uma "imagem de liberais unidos" e que não falam, nem podem falar, sobre as necessidades reais do povo negro.

As raízes do MFDP estão no trabalho e na filosofia do SNCC, que iniciou seu primeiro projeto de registro de eleitores em McComb, no Mississippi, em 1961. Foram estabelecidas escolas de registro eleitoral para incentivar e ajudar as pessoas a se registrarem. O SNCC acreditava que, a fim de romper com a sociedade racista do Mississippi, os negros deveriam despertar seu potencial poder político. A organização em torno da votação era a chave para isso, assim como as manifestações para dessegregar os estabelecimentos públicos. Ao contrário de alguns outros grupos de direitos civis, o SNCC viu que tais manifestações eram de caráter político. Para o SNCC, a dessegregação não se tornou um objetivo final, mas parte do esforço para despertar as pessoas e criar condições para lutar por poder político. O SNCC tinha o Poder Negro em mente muito antes de a expressão ser usada.

O SNCC não compartilhava da noção ingênua de que o Mississippi era um estado "ilegítimo"; que estava completamente contrário e afastado do resto do país. No Mississippi, retaliações físicas e econômicas, assim como truques políticos, oprimiram e reprimiram os negros. Mas isso simplesmente representava o racismo visível. As mesmas forças operavam em todo o país. Foi assim em 1876, quando as tropas do Norte foram retiradas do Sul, e em 1890, quando uma nova e discriminatória Constituição do Mississippi foi promulgada privando os negros de seus direitos.

Permanece assim desde então. Em 1890, havia setenta e um mil negros registrados a mais do que brancos; em 1964, o registro de negros havia sido reduzido a apenas 6,7% dos quatrocentos mil negros em idade de votar.[10]

O agente dessa privação política foi o branco racista e segregacionista Partido Democrata do Mississippi, a maior força política do estado, que apoiou a repressão do povo negro em todos os sentidos. O Partido Democrata do Mississippi manteve os negros afastados do poder; fez com que os negros nunca entrassem na arena política. No outono de 1963, o SNCC trabalhou para construir estruturas políticas paralelas para desafiar esse estrangulamento. O "Voto da Liberdade", realizado em novembro daquele ano, testou as possibilidades do paralelismo. Mais de 80.000 pessoas da comunidade negra votaram em dois candidatos "da liberdade" para governador e vice-governador.

Após a aprovação da Lei de Direitos Civis de 1964, o SNCC decidiu dedicar seus recursos à construção de uma força política de base. A decisão de estabelecer uma nova entidade política no estado do Mississippi foi finalmente tomada em fevereiro de 1964. Formalmente constituído em 26 de abril na cidade de Jackson, recebeu o nome de Partido Democrata da Liberdade do Mississippi (MFDP): "Democrata" porque seu objetivo era o reconhecimento do MFDP como o partido democrata oficial do estado pelo partido nacional. O reconhecimento teria feito do MFDP o partido político oficial que controla a política e recebe o patrocínio desse estado. Teria sido um partido aberto, o que o partido "regular" não era. Isso teria permitido aos negros do Mississippi participar da política e começar a tomar decisões que afetariam seu cotidiano. Teria, de fato, ampliado a base de participação política, de acordo com o conceito de modernização política. Com esses objetivos em mente, o MFDP passou o verão fazendo articulações e unindo forças para a Convenção

---

10. Relatório sobre o Registro de Eleitores Negros no Sul pelo Projeto de Educação Eleitoral do Conselho Regional do Sul, Atlanta, Geórgia, 1º de abril de 1964.

Democrata Nacional que aconteceria em agosto de 1964, em Atlantic City, Nova Jersey.

Organizar e perseguir os objetivos do MFDP foi, em essência, uma das primeiras tentativas de construir uma coalizão viável com as chamadas forças liberais. O MFDP sabia que teria que exercer pressão externa sobre o partido nacional para que os delegados do MFDP tivessem assentos na Convenção em vez de os delegados "regulares". Várias delegações estaduais do Norte tinham a ganhar com o apoio ao MFDP: a substituição dos delegados regulares poderia ser o primeiro passo para tomar o poder das mãos dos senadores e deputados do Sul que ocupavam poderosos cargos em comissões do Congresso. Com tais benefícios políticos em mente, a delegação de Michigan aprovou uma resolução de apoio em 14 de junho, e a delegação de Nova York em 15 de junho. Quando a convenção foi aberta, nove delegações estaduais já haviam aprovado tais resoluções. O apoio da União dos Trabalhadores Automobilísticos (UAW, em inglês) e da Americans for Democratic Action [Estadunidenses pela Ação Democrática] também foi recebido. Grupos religiosos e reformistas também se mobilizaram.

O MFDP montou uma intensa campanha de lobby em Atlantic City. Uma peça processual foi preparada para ser apresentada ao Comitê de Credenciais da convenção; ela detalhava as formas pelas quais os democratas "regulares" do Mississippi mantiveram sua posição no estado e na nação impondo um reinado de terror ao povo negro. De acordo com Jack Minnis,

> cada delegado de cada estado recebeu uma cópia do documento feito para o comitê de credenciais. Todas as solicitações de informações e justificativas foram atendidas. O MFDP, com a ajuda do SNCC, produziu brochuras, cópias de biografias dos delegados do MFDP, histórias do MFDP, argumentos jurídicos, argumentos históricos, argumentos morais, e os distribuiu aos delegados. (MINNIS, 1965)

O MFDP enfatizou quatro pontos principais na Convenção:

1. Tratava-se de um partido político aberto. Não excluía ninguém por causa de raça, credo ou cor.
2. Apoiava a plataforma do partido democrata nacional. Em 30 de junho de 1964, o partido "regular" havia rejeitado a plataforma nacional do partido.
3. Estava disposto a assinar o juramento de permanecer leal ao partido nacional. Apenas quatro em sessenta e oito "regulares" assinaram tal juramento.
4. Apoiava e estava disposto a fazer campanhas pelos candidatos democratas nacionais. Os delegados "regulares" não o fizeram; na verdade, mais tarde fizeram campanha pelos candidatos republicanos e ajudaram a entregar o estado a Goldwater em novembro de 1964.

A maior alegação apresentada pelos "regulares" foi que os delegados do MFDP foram escolhidos ilegalmente; que as convenções no distrito e no condado, assim como as convenções estaduais que realizaram foram ilegais. Tal alegação era, no mínimo, bizarra, porque o partido estadual "regular" vinha elegendo delegados de forma ilegal há anos, a ponto de excluir não apenas os negros, mas muitos brancos. O partido estadual "regular" não demonstrou nenhuma pretensão de realizar convenções locais abertas. Quando os negros do Mississippi tentavam comparecer às reuniões do distrito e do condado do partido "regular", muitas vezes era impossível até mesmo localizar o lugar da reunião. Em oito distritos de seis condados diferentes, os representantes do MFDP foram às seções eleitorais no momento designado para a reunião, mas não conseguiram encontrar nenhuma evidência de uma reunião. Alguns funcionários negaram o conhecimento de tal reunião; outros afirmaram que a reunião já havia sido realizada. Em seis condados diferentes onde foram realizadas reuniões, as pessoas do MFDP tiveram acesso negado. Na cidade de Hattiesburg, os negros foram informados de que não poderiam participar sem apresentar recibos do imposto de votação, apesar de uma recente emenda constitucional proibir tal exigência. Em dez distritos de cinco condados diferentes, os negros do Mississippi foram autorizados a participar, mas sua participação foi restrita: alguns não tinham permissão para votar, outros não tinham permissão para nomear delegados do plenário. O MFDP, por outro lado, realizou convenções abertas e não excluiu ninguém. Eles cumpriram a lei *legalmente*; eles não controlaram a lei *politicamente*.

A resposta do partido nacional ao MFDP foi, é óbvio, "não". Uma pressão intensa havia sido exercida sobre os delegados da própria Casa Branca, e a partir daí a "coalizão" se dissolveu. A maior parte dos aliados do MFDP se afastaram mansamente e se juntaram àqueles que buscavam colocar os delegados do MFDP de joelhos. Vários delegados disseram aos militantes do SNCC que não tinham condições de peitar a equipe de Johnson-Humphrey.

> Se colocados contra a parede, esses delegados admitiriam francamente que obtiveram um ganho político e material tão significativo com a vice-presidência de Humphrey que não poderiam correr o risco de apoiar o MFDP, uma vez que caso o MFDP vencesse, Humphrey poderia perder a nomeação para vice-presidente. *Os apoiadores de Humphrey estavam convencidos de que a eliminação do MFDP era o preço da vice-presidência para Humphrey.* (MINNIS, 1965; grifo do autor)

As recompensas e punições a serem obtidas com o governo superaram em muito tudo o que os negros sem poder do Mississippi poderiam fazer a favor ou contra eles. A certa altura, o MFDP teria tido apoio suficiente dentro do Comitê de Credenciais para fazer valer suas exigências no plenário da Convenção e forçar uma votação nominal, o que poderia muito bem ter viabilizado os delegados negros. Mas uma vez que a máquina da Casa Branca foi colocada em movimento, esse apoio desapareceu rapidamente.

Assim, alguns membros do Comitê de Credenciais apresentaram um Relatório Minoritário, mas a maior parte se alinhou com a proposta de compromisso oferecida ao MFDP, segundo a qual a Convenção assentaria dois de seus delegados — já escolhidos por eles — como delegados gerais. Grande pressão foi exercida sobre o MFDP para aceitar o compromisso. Não o fez, pois fazê-lo teria significado a revisão de seu objetivo básico. Os Democratas da Liberdade foram para Atlantic City para *substituir o partido racista do Mississippi, não para unir-se a ele*! Com efeito, o "compromisso" exigia que o MFDP se posicionasse com o partido regular, e isso significava reproduzir sua política racista. Essa era uma contradição inaceitável. O MFDP não poderia se tornar parte de algo a que estava em total oposição. Estava disposto a aceitar um compromisso genuíno, como o proposto pela congressista Edith Green, do Oregon, por meio do qual os *dedicados* democratas de ambas as delegações seriam representados. Mas a proposta que finalmente surgiu não foi um compromisso. Os dois delegados do MFDP não deveriam ter assentos como representantes. Supostamente, os dois assentos para convidados eram "de grande valor simbólico". Entretanto, o MFDP não foi à Convenção com uma intenção simbólica; mas como parte de um esforço sincero para se tornar parte do partido democrata nacional. (Mesmo depois de ter sido rejeitado em Atlantic City, o MFDP fez campanha para Johnson-Humphrey: a lealdade política do povo negro parecia sem limites.) Em troca de sua lealdade, o partido nacional manteve, no Mississippi, um partido que havia aprovado a seguinte resolução em 28 de julho de 1964:

> Nós nos opomos, condenamos e deploramos a Lei de Direitos Civis de 1964. [...] Acreditamos na separação das raças em todas as esferas de nossa sociedade. Acreditamos que a separação das raças é necessária para a paz e a tranquilidade de todo o povo do Mississippi e para a continuidade do bom relacionamento que tem existido no decorrer dos anos. [...]

Expressamos nossa admiração e apreço ao governador Ross B. Barnett e ao governador G. Wallace do Alabama pelo trabalho capaz, corajoso, patriótico e eficaz em despertar o povo estadunidense para a necessidade absoluta do retorno deste país ao verdadeiro governo constitucional e à liberdade individual. Estamos muito gratos ao governador Wallace por sua tremenda visita ao Mississippi, e ele e o governador Barnett ocupam um lugar permanente no coração de cada verdadeiro mississipiano.

Se algo foi um ato simbólico, foi a posição assumida pelo partido nacional: uma posição que representava nítida "traição" e simbolizava nitidamente a falência do Establishment.

Esses pontos nunca foram mencionados na imprensa. O que surgiu da mídia foi que o MFDP constituía uma espécie de bando radical de negros que não suportavam a política estadunidense. Moralmente correto, talvez, mas politicamente pouco sofisticado. No entanto, os negros do MFDP estavam sendo muito sofisticados de acordo com sua concepção da realidade política; longos anos de adiamentos e negações, anos de traição por parte dos brancos e dos negros que se aliaram aos brancos. A *realidade* — lições aprendidas por meio de anos difíceis, de sofrimento e de traição política — mostrou que tinham que dar um basta no padrão dos acordos estabelecidos, que não deviam se comprometer apenas para preservar a imagem liberal de outra pessoa. Eles não eram ingênuos ou irresponsáveis. Aceitar o "compromisso" humilhante teria sido o cúmulo da irresponsabilidade para com as pessoas que representavam. Muitos deles perceberam que a política pode muito bem ser a "arte do compromisso", mas também sabiam que esse compromisso, em particular, não tinha substância; que a única esperança para os negros estava em uma nova abordagem. Aqueles que duvidam da sabedoria disso podem considerar "comprometimento" a segunda esmola oferecida ao MFDP na convenção: uma diretiva para que o partido democrata nacional tome medidas para garantir o fim da discriminação nas futuras convenções democratas do Mississippi. Sim, foi criado um "Comitê de Igualdade de Direitos" para fazer isso — e em abril de 1967, ele se reuniu. Sua conclusão: que a existência de discriminação era um assunto a ser determinado pelo Comitê de Credenciais na próxima convenção nacional! Assim terminou a primeira etapa da tentativa de desafiar uma estrutura política estatal ilegal fora daquela estrutura. Mas a noção de desafio persistiu; na época, no Mississippi, parecia ser a única maneira de demonstrar algum tipo de eficácia política. Isso não poderia ser realizado dentro de um estado onde os negros não podiam votar. Em janeiro de 1965, o mandato de cinco congressistas brancos "eleitos" dois meses antes foi questionado; a questão chegou ao plenário da Câmara em setembro. Ninguém estava particularmente convencido de que essa tentativa seria bem-sucedida. O MFDP estava suplicando à mesma combinação de forças nacionais para governar contra os racistas do Mississippi. Essas forças já haviam mostrado sua cara na Convenção.

O MFDP compilou volumes de dados atestando a "eleição" ilegal e fraudulenta dos brancos. Mas os liberais — os potenciais aliados da coalizão — não estavam interessados. Todos analisaram as propostas: discursos laudatórios foram feitos a favor da justiça e contra a discriminação racial; os negros foram aconselhados a "entender a política estadunidense e jogar conforme as regras do jogo". O questionamento dos mandatos foi, é óbvio, derrotado por 228 a 143 votos. As justificativas eram legalistas; entre elas, o número de votos recebidos pelos concorrentes em suas "eleições não oficiais e não autorizadas" comparado ao número de votos recebidos pelos regulares em suas "eleições regulares, válidas e legais". Mais uma vez, "a lei" se tornou um artifício conveniente para ser usado pelos senhores da ilegalidade quando o povo negro buscava melhoras. Esse não é um fenômeno terrivelmente surpreendente em nossa sociedade. Frequentemente, nos livros didáticos e nas salas de aula, nos dizem que os Estados Unidos são uma "sociedade de leis, não de homens", o que implica, é evidente, que as leis operam de forma imparcial e objetiva, independentemente da raça ou de outras diferenças particulares. Isso é completamente inconsistente com a realidade. A lei é o agente daqueles que estão no poder político; é o produto daqueles poderosos o suficiente para definir o certo e o errado e para ter essa definição legitimada pela "lei". Com isso, não queremos dizer que "os poderosos definem o que é certo", mas que "os poderosos definem o que é a lei". O MFDP estava operando a partir de uma base sem poder; portanto, poderiam ser declarados "ilegais".

Embora o MFDP não fosse politicamente ingênuo para a maior parte dos assuntos, certo tipo de expectativa esperançosa existia — pelo menos até o caso ocorrido em Atlantic City. Pode-se também dizer, como já sugerimos, que não tinham outra escolha naquela época e naquele lugar. O presidente do MFDP e o ex-diretor do escritório do MFDP em Washington fizeram os seguintes comentários a respeito do episódio da impugnação dos mandatos:

> Em retrospectiva, isso representou uma confiança na moralidade final das instituições e práticas políticas nacionais — "Eles *realmente* podiam não saber, e uma vez que levamos os fatos sobre o Mississippi à atenção nacional, a justiça certamente deve ser rápida e irrevogável," —, o que foi uma fé simplista, de algum modo similar aos camponeses russos sob o governo dos czares. Presos na opressão e privação, os camponeses gemiam: "Se o Czar pelo menos soubesse como sofremos. Ele é bom e nos faria justiça. Se ele soubesse". O fato é que ele sabia muito bem. (GUYOT; THELWELL, 1966)

A lição, de fato, foi nítida em Atlantic City. A moral principal daquela experiência não era apenas que a consciência nacional não era geralmente confiável, mas que o povo negro do Mississippi e de todo o país não podia confiar em seus chamados aliados. Muitos líderes trabalhistas, liberais e de direitos civis abandonaram o MFDP por causa dos laços mais estreitos com o Partido Democrata Nacional. Enviar delegados do MFDP em vez de delegados "regulares" significaria um deslocamento do poder, e ficou cristalino que, para combater o poder, era preciso ter poder. As pessoas negras teriam que se organizar e obter sua própria base de poder antes que pudessem começar a pensar em coalizão com outros. Contar com a assistência absoluta de forças externas, liberais e trabalhistas não era um procedimento sábio.

É absolutamente imperativo que os negros se esforcem para formar primeiro uma base independente de poder político. Quando eles puderem controlar suas próprias comunidades — sejam grandes ou pequenas —, outros grupos farão concessões para eles com base em um sábio cálculo de interesse próprio. Os negros estarão em condição de entrar e sair da coalizão de forma independente. Chegou o momento de o povo negro se preparar para construir essas novas formas de se fazer política.

Essa é a gênese da Organização da Liberdade do Condado de Lowndes, no Alabama, que começou a ser construída um ano após a convenção de Atlantic City. Seu nome não traz a palavra "democrata", pois o povo de Lowndes não pretendia depender do Partido Democrata Nacional — ou de qualquer outro — para ser reconhecido. Os democratas nacionais nitidamente defenderam o racismo anteriormente. O grupo negro de Lowndes sabia que teria que procurar e construir novas formas fora do partido democrata — ou de qualquer outro; formas que começariam a fazer as mudanças necessárias neste país.

eleição no cinturão negro: um novo dia tá chegando

V

Há uma grande placa na rodovia oitenta entre Montgomery e Selma, Alabama, no Condado de Lowndes. É possível vê-la dirigindo para o oeste. Tem a imagem de uma pantera negra e as palavras: "DEPOSITE O VOTO PARA A PANTERA NEGRA E VÁ PARA CASA". Isso foi um lembrete para votar dia 8 de novembro de 1966 e para votar nos candidatos da Organização da Liberdade do Condado de Lowndes, cujo símbolo é a pantera negra.

Algumas pessoas ao redor do país estavam chamando a eleição de 1966 de uma das eleições mais significativas fora da temporada de eleições presidenciais. Em março de 1965, nenhuma pessoa negra sequer estava registrada para votar; nos vinte meses seguintes, cerca de três mil e novecentos negros e negras não apenas se registraram, mas também formaram uma organização política, realizaram uma convenção de nomeação de representantes e lançaram sete de seus membros para concorrer a cargos públicos do condado na eleição. Se os cientistas políticos quiserem algum dia estudar o fenômeno do desenvolvimento político ou da modernização política neste país, este seria o lugar: no coração do "cinturão negro", a gama de áreas do Sul caracterizadas pela predominância da comunidade negra e do rico solo negro.

A maioria dos negros locais admite prontamente que o catalisador da mudança foi o aparecimento, em março e abril de 1965, de um punhado de trabalhadores do SNCC no condado. Eles foram para lá quase imediatamente após o assassinato da sra. Viola Liuzzo, na última noite da Marcha de Selma a Montgomery. A sra. Liuzzo, uma dona de casa branca de Detroit, havia levado participantes da caminhada para suas casas quando foi baleada e morta pelos homens da Ku Klux Klan na mesma rodovia oitenta no Condado de Lowndes. Para o povo negro de Lowndes, o assassinato não foi uma grande surpresa: Lowndes tinha um dos piores registros de racismo individual e institucional da nação, uma reputação de brutalidade que fazia tanto os brancos quanto os negros do Alabama tremerem. No condado, formado por uma população de 81% de negros, os brancos governavam toda a área e subjugavam o povo negro a esse governo sem piedade. Lowndes era uma área primordial para o SNCC aplicar certos pressupostos aprendidos no decorrer dos anos de trabalho em condados rurais, nos sertões do Sul.

O SNCC há muito tempo havia compreendido que um dos principais obstáculos para ajudar pessoas negras a organizar estruturas que pudessem efetivamente combater o racismo institucional era o *medo*. A história do condado mostra que pessoas negras podiam se reunir para fazer apenas três coisas: cantar, rezar e dançar. Sempre que se reuniam para fazer qualquer outra coisa, eram ameaçadas ou intimidadas. Durante décadas, o povo negro foi ensinado a acreditar que votar e fazer política eram "assunto dos brancos". E os brancos tinham de fato monopolizado esse assunto, por métodos que iam da intimidação econômica ao assassinato.

A situação em Lowndes era particularmente notável, uma vez que as batalhas pelos direitos civis haviam sido travadas em larga escala durante anos em dois condados vizinhos: no Condado de Dallas (Selma) e no Condado de Montgomery. A cidade de Montgomery havia visto um movimento poderoso, liderado pelo dr. Martin Luther King Jr., começando em 1955 com o boicote aos ônibus. Mas o Condado de Lowndes não pareceu afetado por essa atividade. Isso é ainda mais marcante quando se considera que pelo menos 17% dos moradores negros de Lowndes trabalham em Montgomery e pelo menos 60% dos moradores negros fazem suas principais compras lá.

Lowndes era uma sociedade verdadeiramente totalitária — o epítome do estado policial repressor e isolado. As pessoas do SNCC achavam que se pudessem ajudar a trazer mudanças para Lowndes, outras áreas — com reputações menos brutais — seriam mais fáceis de serem organizadas. Tratava-se de uma espécie de teoria dominó do SNCC.

Havia várias organizações negras no Condado de Lowndes, todas centradas em torno da religião: as alianças dos ministérios batistas e oficinas maçônicas (Ordem Estrela do Oriente, Ordem dos Elks, Maçons). Todos esses grupos se reuniam regularmente, realizavam atividades, tomavam decisões, arrecadavam e investiam dinheiro — desmascarando, mais uma vez, o mito de que pessoas negras são desorganizadas e incapazes de se organizar. Em muitas comunidades, para ser diácono-chefe de uma igreja é preciso conhecer a política, fazer política, ser político. O mesmo se aplica para se tornar e permanecer grão-mestre de qualquer uma das oficinas maçônicas. É preciso negociar e se envolver constantemente com as políticas internas desses grupos. (Isso não é menos verdadeiro para a maioria dos grandes e pequenos grupos desta sociedade, exceto que muitos brancos não acreditam que os negros sejam capazes de fazer isso.) Essas pessoas, experientes na política interna da igreja, foram algumas das mais politicamente orientadas e que posteriormente formaram a Organização da Liberdade do Condado de Lowndes. A capacidade e o poder desses líderes locais, entretanto, repousavam dentro da comunidade negra e estavam voltados apenas para os assuntos religiosos e sociais. Muitas pessoas que eram políticas *dentro* dessas organizações não estavam dispostas a entrar na arena política *pública*. Elas estavam com medo.

As pessoas negras mais respeitadas pelos brancos no Condado de Lowndes eram os professores e os dois diretores das escolas de ensino médio. Mas, como em muitas comunidades do Sul, eles estavam à mercê da estrutura de poder dos brancos. Ocupavam suas posições graças aos brancos; o poder que tinham foi delegado a eles pela comunidade branca, e o que o mestre dá, o mestre pode tirar. O poder dos diretores e professores negros não vinha da comunidade negra, porque essa comunidade não estava organizada em torno do poder político público. Nesse sentido, eles eram figuras típicas do "Establishment Negro".

A questão da liderança no condado era crucial. Para que houvesse um ataque político sustentado contra o racismo, o povo negro teria que desenvolver um grupo de liderança viável. Os líderes negros estabelecidos pelos brancos — os professores, diretores — eram respeitados pela comunidade negra, porque podiam fazer certas coisas. Podiam, por exemplo, interceder com o homem branco e tinham certas credenciais evidentes de sucesso: um grande carro, uma bela casa, boas roupas. Além deles, os ministros negros constituíam outra fonte de liderança. Afinal, eles têm sido tradicionalmente grandes líderes na comunidade negra, entretanto, seu poder estava dentro da comunidade negra, não com a estrutura de poder branca. Em alguns casos, podiam pedir aos brancos que fizessem certas coisas pelo povo negro, mas não tinham o poder relativo que os líderes negros estabelecidos pelos brancos possuíam. Os ministros também podiam invocar a autoridade de Deus; foram, afinal, "chamados a pregar o evangelho" e, portanto, sua palavra tinha quase uma espécie de autoridade divina na comunidade negra.

Por um lado, os ministros conheciam a comunidade, enquanto os diretores e alguns professores não conheciam. Para estes, Montgomery era socialmente uma compulsão exaustiva, enquanto os ministros conduziam sua vida social dentro de suas congregações. Sendo assim, eles não tinham apenas um certo poder, mas uma grande influência, enquanto os diretores e professores tinham poder, mas pouca influência na comunidade. Eles não eram totalmente aceitos; frequentemente eram vistos como "Uncle Tom" [Tio Tom], porta-voz dos brancos. Por outro lado, muitos ministros viviam sob pressão: não eram donos de suas igrejas ou de seus bens, os quais, hipotecados, poderiam ser executados caso as igrejas fossem usadas para outros fins que não o culto religioso, como a realização de reuniões de grupos, deixando os ministros sem emprego.

Havia ainda outro conjunto de líderes na comunidade negra do Condado de Lowndes. Era um grupo de senhoras, que conheciam bem a comunidade e eram bem conhecidas. Elas poderiam desempenhar um papel muito importante na organização política dos negros, uma vez que tinham considerável influência na comunidade negra — eram membros fiéis da igreja, por exemplo —, mas não possuíam nenhum poder com a comunidade branca.

Economicamente, o Condado de Lowndes não se destaca por sua distribuição equitativa de bens e renda. A renda média dos negros, a maioria meeiros e agricultores rendeiros, é de cerca de 985 dólares por ano. Oitenta e seis famílias brancas possuem 90% das terras. Dentro da comunidade negra, havia poucas pessoas que tinham água corrente em suas casas em 1965; apenas cerca de vinte famílias tinham aquecimento adequado, e as demais conseguiam sobreviver com fornos e lareiras a lenha para se aquecerem. A insegurança econômica do grupo é óbvia, mas como já vimos, até mesmo para o "Establishment Negro" seria desastroso começar a se intrometer no "assunto dos brancos".

Contra essas probabilidades, havia no Condado de Lowndes uma longa história de homens negros que começavam a lutar, mas que sempre eram silenciados. Sr. Emory Ross, que mais tarde se tornou um participante ativo na Organização da Liberdade do Condado de Lowndes, teve um pai que foi um verdadeiro lutador. Foi baleado várias vezes; sua casa também foi baleada e uma vez incendiada. Mas ele continuou a lutar e foi capaz de transmitir sua determinação ao filho.

Havia mais alguns como ele. Estimulados pelas manifestações e pela presença do dr. King em Selma no início de 1965, cerca de dezessete pessoas corajosas reuniram-se em torno do sr. John Hulett, um residente antigo do condado, para formar o Movimento Cristão pelos Direitos Humanos do Condado de Lowndes, em março daquele ano. Os trabalhadores do SNCC começaram a circular pelo condado pouco tempo depois, usando uma estranha linguagem: "O poder político é o primeiro passo para a independência e liberdade", "Você pode controlar este condado politicamente". No início, foi excepcionalmente difícil conseguir que as pessoas negras fossem ao tribunal para se registrarem. A luta naquele ponto foi travada simplesmente em termos de poder estabelecer, dentro da comunidade negra, um senso de *direito* de lutar contra a opressão e a exploração racial. Não foi uma batalha de pequena proporção, já que muitas das pessoas negras do condado não sentiam sequer que tinham o *direito* de lutar. Além disso, sentiam que sua luta não teria sentido. Elas se lembravam muito bem daqueles que haviam sido perseguidos.

De março a agosto de 1965, cerca de cinquenta a sessenta cidadãos negros foram ao tribunal para se registrarem e passaram com sucesso no "teste" de registro. Então, em agosto de 1965, foi aprovada a Lei do Direito de Voto e os "examinadores" ou registradores federais entraram no município. Um negro nunca mais lidaria com testes de alfabetização ou perguntas absurdamente difíceis sobre a Constituição ou táticas como a rejeição do registro porque um "t" não foi devidamente cruzado ou porque um "i" foi inadequadamente pontuado. As listas de votação aumentaram às centenas. Os brancos de Lowndes moveram-se rapidamente com a velha arma do terror: cerca de duas semanas após a chegada do registrador eleitoral em Hayneville, a sede do condado, o militante por direitos civis Jonathan Daniels foi morto a tiros e seu companheiro seminarista, Richard Morrisroe, foi gravemente ferido. O povo negro, porém, não podia mais ser detido.

O *ato* de se registrar para votar suscita várias coisas. Marca o início da modernização política, o que amplia a base de participação. Além disso, faz algo de que falam os existencialistas: dá a sensação de ser. O homem negro que vai se registrar está dizendo ao homem branco: "Não". Está dizendo: "Você disse que eu não posso votar. Você disse que onde estou é o meu lugar. É aqui que eu deveria permanecer. Vocês me controlaram por muito tempo, mas estou dizendo 'não' ao seu controle. Estou saindo dos limites. Estou dizendo 'não' a você e, assim, estou criando uma vida melhor para mim mesmo. Estou resistindo a alguém que me controlou". É isso que o primeiro ato faz. A pessoa negra começa a viver. Ela começa a criar sua *própria* existência quando diz "não" a alguém que a controla.

Mas obviamente isso não é suficiente. Uma vez que o povo negro tenha derrubado séculos de medo, uma vez que esteja disposto a resistir, deve então decidir como melhor usar esse voto. Ouvir aqueles brancos que conspiraram durante tantos anos para negar-lhe o voto seria um retorno àquela condição subordinada anterior. As pessoas negras devem agir de forma independente. O desenvolvimento dessa consciência é um trabalho tão entediante e laborioso quanto inspirar as pessoas a se registrarem em primeiro lugar. De fato, muitas pessoas que aspiram militar mais ativamente na conscientização desistem simplesmente, porque não têm a energia e a resistência para ir de porta em porta dia após dia. É por isso que muitas dessas pessoas se encontram sentadas em cafés, falando e teorizando em vez de organizando.

A questão de como utilizar o voto tornou-se a mais pertinente no Condado de Lowndes. Desde a década de 1930, os livros de história e os tratados tradicionais de ciência política concluíam que a salvação do povo negro estava no Partido Democrata. O povo negro do condado de Lowndes tinha dúvidas sobre isso, dúvidas baseadas em mais do que conjecturas. As lições da experiência do Partido Democrata da Liberdade do Mississippi foram muito nítidas. No próprio Lowndes, as pessoas negras viam o Partido Democrata local como o xerife que as brutalizou; como o juiz nos tribunais corruptos que as obrigou a pagar multas elevadas. Sabiam que o presidente do Comitê Democrata do Condado de Lowndes, Robert Dickson, era réu em uma ação judicial federal, que o acusava de ter despejado agricultores negros de suas terras, porque eles se registraram para votar. Elas viram George Wallace à frente do partido estadual; viram Eugene "Bull" Connor e o xerife Jim Clark. Sabiam que era absurdo se rebaixar tentando sentar-se com os políticos democratas locais. Se o partido democrata (ou qualquer outro) deveria reconhecer e respeitar o poder mobilizado do povo negro, essas pessoas teriam que se organizar de forma independente. Elas também reconheceram a necessidade psicológica de saber que poderiam se reunir por conta própria, tomar decisões e executá-las. Consequentemente, começaram a olhar em volta para ver o que significaria concorrer como candidatas independentes nas eleições para os cargos do condado (xerife, assessor fiscal, coletor de impostos, legista e três cargos no Conselho de Educação do condado) a serem realizadas em novembro de 1966.

A equipe de pesquisa do SNCC descobriu uma lei incomum do Alabama que permite que um grupo organize um potencial partido político em nível local, apenas no condado. Para ser reconhecido como um partido do condado, o grupo deve receber 20% dos votos expressos nas eleições para cargos naquele local. Os negros do condado de Lowndes e do SNCC começaram, então, o árduo trabalho de construir um partido político legítimo e independente, sem ajuda de ninguém mais. Praticamente todo o país condenou a decisão; era "separatismo"; estava tradicionalmente "condenado a ficar em terceiro lugar" e a única maneira de ter sucesso era por meio de um dos dois partidos estabelecidos. Alguns até disseram que os eleitores negros do condado de Lowndes deveriam apoiar o Partido Democrata pela gratidão por terem recebido o direito de votar. Entretanto, os democratas não deram aos negros o direito de voto; eles simplesmente deixaram de negar aos negros o direito que já deveria ser deles.

Em março de 1966, a Organização da Liberdade do Condado de Lowndes nasceu com os objetivos imediatos de lançar candidatos e ser reconhecida como um partido. Na construção da LCFO (sigla em inglês), foi obviamente sábio tentar primeiro recrutar aqueles negros que possuíam terras e, portanto, eram um pouco mais seguros economicamente do que aqueles sem propriedade. Infelizmente, havia poucos deles. Aqueles que não possuíam terras e se encontravam apenas arando em terrenos de propriedade dos brancos, estavam sujeitos a serem expulsos por causa de sua atividade política. E foi exatamente o que aconteceu no final de dezembro de 1965; cerca de vinte famílias foram despejadas e passaram o resto do inverno vivendo em barracas, com temperaturas geralmente abaixo de zero. O destino delas, e de outros que passaram pelo mesmo depois, intensificou o medo, mas também serviu para incutir um senso da tremenda necessidade de estabelecer uma base independente de poder de grupo dentro da comunidade. Essa base poderia dar apoio, segurança. Assim, apesar da ameaça sempre presente de perda do lar, do emprego e até mesmo da vida, o povo negro do condado de Lowndes continuou a construir. Reuniões em massa eram realizadas semanalmente, cada vez em uma parte diferente do condado. A unidade e a força, já em desenvolvimento durante o inverno, cresceram.

Em maio de 1966, o momento de lançar candidatos negros para as eleições primárias chegou. Ao redor do estado e da nação, muitas pessoas levantaram a perene questão da qualificação: quais pessoas negras no condado de Lowndes eram qualificadas para ocupar cargos públicos? Era o velho jogo de colocar os negros na defensiva, fazendo o negro questionar sua habilidade, seus talentos, a si mesmo. Ninguém questionava *seriamente* as qualificações de Wallace (George ou Lurleen) para ser governador ou de Jim Clark para ser xerife do condado de Dallas ou de "Bull" Connor para ser chefe de segurança pública (!) em Birmingham, Alabama. Por falar nisso, na década de 1770, os colonos estadunidenses não passaram noites sem dormir preocupados se podiam governar a si mesmos. É preciso enfatizar esse ponto, pois a "civilização" branca ocidental está sempre se projetando como pronta, enquanto o povo negro deve sempre se preparar. Se a preparação significa aprender a governar da maneira racista que os brancos demonstraram no condado de Lowndes e em todo este país, então os negros não devem se preocupar em aprender tais lições.

Os negros do condado de Lowndes estavam prontos e se prepararam ainda mais. Foram realizados workshops, com a assistência do SNCC, sobre as funções do xerife, do legista, do assessor fiscal, do coletor de impostos e dos membros do Conselho de Educação — os cargos a serem disputados durante a eleição. Brochuras, frequentemente ilustradas, foram preparadas pelo SNCC e distribuídas pelo condado. As pessoas começaram a ver e a compreender que nenhuma educação universitária ou treinamento especial era necessário para desempenhar essas funções. Elas exigiam essencialmente determinação e bom senso, e os negros em Lowndes há muito tempo haviam demonstrado que possuíam essas qualidades.

A Organização da Liberdade do Condado de Lowndes convocou uma reunião em todo o condado para elaborar sua plataforma. Este não seria o processo usual pelo qual a plataforma serve como uma "fachada", uma peça de exposição a qual os candidatos do partido falam coisas da boca para fora e depois ignoram tudo que disseram. Aqui em Lowndes, os negros se reuniram, elaboraram sua plataforma e depois escolheram seus candidatos com base nos quais poderiam melhor segui-la.

Para cumprir a lei do Alabama, as primárias foram marcadas para o mesmo dia que as primárias dos outros partidos do estado — 3 de maio de 1966. A lei também indica que uma pessoa poderia votar em apenas uma primária — uma exigência que levou a novos ataques à LCFO e ao SNCC. Se os negros apoiassem a LCFO, eles iriam boicotar totalmente as primárias democratas. Os militantes do SNCC insistiram que os eleitores seguissem isso, a fim de proteger a legalidade das primárias independentes e por causa do racismo do Partido Democrata do Alabama. Mas um novo grito surgiu: "Negros do Alabama não devem votar".

Eles votaram, é evidente, em suas próprias primárias. Mais de novecentos negros foram a Hayneville, a sede do condado, e votaram. Muitos viajaram mais de vinte e cinco milhas até aquela sede do terror, onde Jonathan Daniels tinha sido morto a tiros nove meses antes. Eles vieram para votar em *suas* primárias, para nomear *seus* candidatos a cargos públicos.

A convenção de nomeação foi realizada na Primeira Igreja Batista, mas somente após os negros lutarem muito. Uma norma do Alabama (Título 17, Seção 414) estipulou que as primárias deveriam ser realizadas nas proximidades do tribunal. Com isso em mente, a LCFO decidiu realizar sua convenção de nomeação no espaço vago adjacente ao tribunal do condado. O xerife a proibiu com base no fato de que tal reunião "causaria muita confusão". A LCFO, determinada a não ter sua convenção anulada devido ao não cumprimento da lei, informou ao Departamento de Justiça dos Estados Unidos sua intenção de realizar a convenção com o tribunal. Um representante do Departamento de Justiça disse que se a reunião fosse realizada lá, se tornariam alvos fáceis para os brancos.

A LCFO apelou ao Departamento de Justiça solicitando proteção, afirmando que, se tal proteção não fosse antecipada, a LCFO seria obrigada a se proteger do seu próprio jeito. Só depois que o juiz de sucessões local e o procurador-geral do Estado garantiram à LCFO que uma convenção realizada a oitocentos metros do tribunal, na Primeira Igreja Batista, seria legal, o povo negro decidiu realizar a convenção lá. Quando os direitos do povo negro do condado de Lowndes foram respaldados pelo poder de um número organizado e determinado, logo as autoridades brancas interpretaram a lei de forma rápida e justa.

A campanha que se seguiu foi dificilmente uma típica campanha política estadunidense. Não houve debates (ou ofertas para debate) entre os candidatos; os candidatos negros certamente não fizeram campanha para eleitores brancos, e nenhum candidato branco fez apelos abertos para votos negros.

No fim de semana antes das eleições, a Organização da Liberdade do Condado de Lowndes se preparou para cumprir seu primeiro teste eleitoral. Na tarde de domingo, 6 de novembro, uma reunião de setenta e cinco pessoas foi realizada na sede da organização. Estavam presentes fiscais eleitorais, escrivães eleitorais, funcionários do SNCC e pessoas locais. Foram explicados os deveres da fiscalização de eleições[11] e foi discutido o procedimento para lidar com os eleitores. Três coisas foram enfatizadas durante as reuniões:

---

11. Nota da editora: fiscais representantes de cada partido precisavam estar atentos a qualquer movimentação irregular nos locais de votação.

(1) os brancos poderiam tentar desafiar os negros em grande escala; (2) os brancos poderiam tentar votar em nome de pessoas que não estavam mais no condado ou que haviam morrido — o voto do cemitério; (3) deve ser evitado com cuidado o abuso da lei do Alabama que prevê "ajudantes".

O que deveria ser feito se os eleitores negros fossem questionados? A lei do Alabama era nítida. O eleitor contestado simplesmente assina um juramento declarando ser um residente de boa-fé registrado para votar, e que tem outro eleitor que possui uma propriedade testemunhando isso. Então, o eleitor contestado vota, não na máquina, mas em uma cédula de papel. Muito tempo foi gasto examinando nomes de pessoas negras que possuíam propriedades e que não seriam fiscais nem escriturários eleitorais; essas pessoas poderiam servir como testemunhas para os eleitores negros contestados.

Se os brancos começassem a questionar os negros em grande escala, foi decidido que os negros fariam o mesmo com os brancos. Uma pessoa declarou: "Na verdade, acho que devemos simplesmente contestar o direito de voto dos brancos a cada duas horas mais ou menos, apenas para que eles saibam que estamos seguros e é melhor que não tentem nada". A declaração foi recebida com ampla aprovação, e todos concordaram que terça-feira seria um dia histórico no Condado de Lowndes: "Meu Deus do céu, pode imaginar, gente negra dizendo ao sr. Charlie: 'Contesto seu direito de voto!'".

As pessoas perceberam que existia muitos brancos na lista de eleitores registrados que há muito tempo haviam saído do condado ou morrido. Ou seja, a lista de votação nunca havia sido atualizada. A organização ainda não tinha uma lista oficial de eleitores registrados. No domingo, dois dias antes da eleição, ainda não havia conhecimento exato de quem estava registrado no condado. A lista mais recente disponível era de abril de 1966, e cerca de seiscentas pessoas negras haviam se registrado desde então. Os organizadores decidiram ir ao gabinete do juiz na manhã seguinte para garantir uma lista atualizada.

Em seguida, a reunião voltou sua atenção para o sistema de ajuda nas eleições. Segundo a lei do Alabama, um eleitor pode pedir assistência dentro da cabine de votação se: (1) for cego, (2) for incapacitado fisicamente ou (3) "não conseguir ler a cédula". Qualquer pessoa tem o direito de ajudar um eleitor; um funcionário eleitoral (inspetor ou escrivão, não um fiscal do partido) pode ajudar qualquer um, se solicitado pelos eleitores. Esse era o problema. Os líderes da Organização da Liberdade do Condado de Lowndes sabiam que, uma vez que uma pessoa branca local ficasse atrás da cortina com uma pessoa negra, esse voto seria perdido.

"OK", disse uma pessoa. "O mais importante para a gente é que nenhum negro deve pedir ajuda a um homem branco. Ajudaremos uns aos outros." Houve gritos imediatos de concordância e "tá falado, irmão". "Nós somos os ajudantes de nossos irmãos." Amém!

Então, o senhor Emory Ross, candidato a legista, levantou-se. "Em vez de depositar o voto para a pantera negra e ir para casa, dizemos a nosso povo para depositar o voto, recuar alguns metros e ficar pronto para ajudar nosso irmão, se ele precisar." A pequena sala em ruínas, sede da organização, balançou com os aplausos. Esse foi o ponto alto das cinco horas e meia de reunião. Esses negros estavam, de fato, ganhando vida. Eles estavam se *envolvendo* na política — e estavam aprendendo.

Haveria dezesseis urnas nos oito distritos, alguns com até três delas, outros com apenas uma. Os fiscais foram instruídos a fazer um registro dos eventos no decorrer do dia: o nome e a raça de cada eleitor, quem pediu ajuda, quem ajudou quem, toda e qualquer experiência no local da votação. "Vamos continuar escrevendo. Não há nada como lápis e papel para manter o outro homem honesto. Sua honestidade sobe pelo menos 50%." Os fiscais eleitorais trabalhariam em turnos de duas horas, alternando com os fiscais eleitorais do lado de fora.

"Para nós do lado de fora", uma pessoa perguntou. "A que distância temos que estar?".

Sr. Hulett, que tinha feito seu dever de casa, silenciosamente respondeu: "nove metros".

"Certo, isso que queria saber."

Na segunda-feira de manhã, sr. Hulett foi com o sr. Sidney Logan, o candidato a xerife da LCFO, ver o juiz Harrell Hammond no tribunal em Hayneville. A lei do Alabama (Título 17, Seção 54) exige que o juiz prepare e envie uma lista final de eleitores registrados ao secretário de Estado do Alabama. "Eu não sei muito sobre essas listas e coisas", disse calmamente o sr. Hammond. "Nós não enviamos nenhuma lista a lugar algum." A lei exige que isso seja feito logo após o último dia de registro; quando foi isso? "Cavalheiros, realmente não sei. Tudo o que sei é que tentei de todas as maneiras colocar alguns negros nas urnas de votação. E fiz. E recebi algumas críticas por isso." Embora manter uma lista de eleitores registrados com notações de sexo e raça seja exigido pela lei do Alabama, isso não foi feito. O pessoal da LCFO poderia ter uma lista oficial de todos os eleitores cadastrados? "Sim, vou conseguir uma agora", concordou Hammond. "Vocês podem *xerocar* algumas cópias aqui. Sem custos por isso."

A lista oficial foi entregue e mostrava um total de 5.806 registros, divididos por distritos e urnas de votação.

Naquele mesmo dia, foi realizada uma reunião às dez horas da manhã com todos os funcionários eleitorais. Negros e brancos se aglomeraram no corredor do primeiro andar do tribunal. Um funcionário do gabinete do comissário eleitoral em Montgomery explicou o funcionamento da urna de votação (havia uma urna no local) e as funções dos funcionários em cada local de votação, bem como dos fiscais eleitorais. As pessoas negras fizeram várias perguntas.

Uma lista no quadro de avisos do corredor indicava que 81 pessoas já haviam anunciado que estariam ausentes (mais sete nomes deveriam ser acrescentados no dia da eleição). O pessoal da LCFO copiou os nomes e perguntou ao juiz Hammond o procedimento legal para contestar as cédulas de ausência. Ele não sabia. Foi feita uma chamada para o gabinete do procurador-geral do Alabama em Montgomery. O gabinete informou que os estatutos do estado não tratavam disso; não havia nenhum procedimento estabelecido.

No final da tarde de segunda-feira, dois funcionários do Departamento de Justiça dos Estados Unidos passaram na sede da LCFO para dizer que definitivamente haveria pelo menos dois fiscais federais em cada urna de votação no condado. Sua função seria meramente observar e registrar os eventos. Um trailer do Departamento de Justiça havia sido montado em Hayneville, ao lado da pequena estação dos correios, do outro lado da praça da cidade, em frente ao tribunal.

Houve um suspiro de alívio por parte das pessoas da LCFO, as quais disseram que os negros esperavam todo e qualquer tipo de problema por parte dos brancos no dia seguinte. O Departamento de Justiça não compartilhava do pessimismo. Eles já haviam conversado com o juiz Hammond "e outros", e era consenso geral dos brancos do condado que a LCFO não ganharia as posições disputadas pelo Partido Democrata branco.

O Partido Democrata branco tinha uma lista de candidatos para cada escritório e gabinete do condado, exceto dois cargos no Conselho de Educação. O Partido Republicano do Condado de Lowndes tinha previsto candidatos *apenas* para esses dois cargos. Isso significava que os candidatos da LCFO para esses dois cargos só poderiam perder se os brancos, que eram predominantemente democratas, votassem uma cisão: primeiro para os democratas e depois para os dois republicanos. A opinião geral da LCFO era que poucos brancos dividiriam seus votos. O Departamento de Justiça ofereceu a opinião de que os brancos locais estavam preparados para viver com a eleição de dois negros para o Conselho de Educação, na crença de que os negros estariam muito "assustados" para votar no sr. Sidney Logan para xerife.

Foi essa a concessão dos brancos para o crescente poder político negro? Por que o Partido Democrata branco não apresentou candidatos para dois cargos do Conselho de Educação? (Eles dirigiram um candidato para o terceiro cargo do Conselho.)

Foi feito um acordo entre os democratas locais e os republicanos locais? Aparentemente, sim. Mas se assim foi, por que pensaram que os eleitores brancos seriam sofisticados o suficiente para dividir seus votos? Os líderes negros da LCFO eram cautelosamente otimistas. Em nenhum momento, sr. Hulett ou os candidatos negros se vangloriaram privada ou publicamente sobre sua capacidade de vencer. Na verdade, afirmaram que a vitória não era de forma alguma certa. Eles não estavam excessivamente otimistas com os números mostrando milhares de pessoas negras recém-registradas.

Uma grande reunião foi realizada na segunda-feira à noite em uma igreja batista local, com a presença de mais de 650 pessoas negras. Foi uma mistura magnífica de um comício inspirador e uma sessão de trabalho (os participantes estavam sentados em grupos por distritos e passaram mais de uma hora revisando a lista de eleitores para verificar se a pessoa da lista era branca ou negra). Raramente, se nunca antes, na longa luta dos negros no Sul, tantos passaram uma noite aprendendo a pura e simples mecânica do voto, discutindo detalhes de como levar amigos e vizinhos às urnas e sendo inspirados pelos curtos discursos dos candidatos. ("Se você quer ouvir sua voz, faça de Hinson sua escolha – para o Conselho de Educação.")

Sr. Hulett encerrou a reunião advertindo os fiscais eleitorais a estarem presentes às urnas no dia seguinte às sete. "Eles abrem às oito; nós estaremos lá às sete. E outra coisa. Quero que nosso pessoal seja o mais bem-vestido amanhã. Vamos nos vestir bem e parecer gente quando formos às urnas."

Somente um John Hulett poderia ter dito isso e não ter sido mal compreendido. Todos entenderam.

Não houve uma longa discussão sobre o Poder Negro na reunião. Sr. Hulett falou sobre ganhar o cargo e governar o condado não com espírito de vingança, mas de uma maneira que serviria "como um modelo para a democracia". Todos os redatores desinformados do país, todos os brancos em pânico isolados nas vizinhanças de classe média deste país deveriam ter estado lá naquela noite. Ali estava um grupo de negros inspirados que não podiam se importar menos com os debates infinitos e sem sentido que se desenrolaram durante todo o verão sobre o Poder Negro. Esse era um grupo de pessoas negras que estavam prestes a começar a corrigir séculos de injustiça em seu próprio cantinho do mundo. Elas não tinham noções ingênuas de que as próximas 24 horas inaugurariam o milênio. "Podemos não vencer amanhã, mas não desistiremos", disse sr. Hulett. "Não desistiremos. Alguns de nossos candidatos podem ganhar e outros não, mas não vamos desanimar e começar a nos alarmar entre nós."

Essas pessoas não precisavam discutir Poder Negro; elas entendiam Poder Negro.

E depois de terem cantado "We Shall Overcome", se prepararam para sair direto para a solitária noite do Alabama, escura e perigosa (havia relatos de que a Ku Klux Klan estava nas rodovias). Para seus lares no formato de barracos de dois e três quartos lotados de berços e crianças dormindo. Para seus lares de banheiros externos e moscas e camundongos. Cansadas, animadas, ansiosas. Algumas pessoas falaram sobre ser um evento histórico para Lowndes, outros apenas acenaram e concordaram e mantiveram suas espingardas ao seu lado porque sabiam que muita coisa não havia mudado. Eles sabiam que as reuniões não poderiam fazer muito. Sabiam que havia outra realidade, a realidade de que alguns seriam expulsos de suas terras em poucas horas; a realidade de um mundo branco fora daquela reuniãozinha, um mundo que não desistiria facilmente do poder. Então, subiram em seus carros e foram para casa dormir um pouco. Amanhã eles teriam que levantar cedo e, pela primeira vez no condado de Lowndes, tomariam conta das suas próprias vidas.

A terça-feira chegou, um bom dia, com um bom tempo para a eleição. Nem muito quente, nem chuvoso.

Vinte e cinco pessoas negras estavam esperando no local de votação no primeiro distrito às 7h25 da manhã. Motoristas começaram a circular pelo condado, transportando pessoas de ida e volta para as urnas. ("Basta carregar um pedaço de papel branco e segurá-lo na estrada. Assim, saberemos e pararemos para pegá-lo.")

No meio da manhã, começaram a chegar relatos de violações e irregularidades eleitorais. Mensagens foram deixadas na sede para o sr. Hulett e para o pessoal do SNCC: "Vá para o distrito sete, problemas lá. Não permitem que nossos fiscais observem tudo. Brancos entrando em cabines com negros"; "Cheque o distrito dois. Negros de plantações recebendo cédulas marcadas antes de entrar. Contra a lei"; "Vá imediatamente a Hayneville. Intimidação do nosso povo do lado de fora"; "O distrito cinco precisa muito de mais 'ajudantes'. Veja o que pode ser feito".

As verdades e realidades políticas estavam batendo na porta. Não se tratava de uma demonstração de protesto. Não se tratava simplesmente de uma manifestação. Essa era a política eleitoral no cinturão negro do Alabama. E o povo negro estava nela agora — para ficar.

Em um distrito, três mulheres negras estavam fiscalizando as urnas. O local de votação era em uma sala dos fundos de uma loja. Homens brancos encheram a sala com fumaça de charutos e gargalhadas. O inspetor eleitoral ordenou que um advogado da LCFO saísse da loja. O ambiente se tornou tenso, ameaçador. As três senhoras negras se mantiveram com seus blocos e pranchetas, assustadas, mas *ali*. Elas não desafiaram nenhum eleitor branco naquela atmosfera hostil. Mas por sua mera presença, estavam desafiando as próprias bases do poder branco.

Em outro distrito, as autoridades eleitorais não queriam permitir que fiscais federais observassem o processo de "ajuda" nos casos em que os brancos "ajudavam" os eleitores negros. Essa negação era contra a lei, mas os fiscais federais não reclamaram. Eles simplesmente declararam que isso faria parte de seu relatório.

Donos brancos de plantações estavam trazendo "seus negros" na carroceria de seus caminhões.

Para compensar esses casos, uma estratégia rápida da LCFO e do SNCC foi desenvolvida por volta do meio da tarde. Uma vez que não foi encontrado um número suficiente de ajudantes negros para se deslocar, as pessoas negras que se aproximavam das urnas foram aconselhadas que, se precisassem da ajuda de um funcionário eleitoral, simplesmente lhe dissessem: "Quero votar *apenas* na chapa da Pantera" ou "Quero votar *apenas* na Organização da Liberdade". Isso era tudo. Eles não deveriam se preocupar com as emendas constitucionais, os outros cargos na cédula. Bastava puxar a alavanca da Pantera e ir para casa. Essa educação do eleitor de última hora e improvisada pode ter funcionado em alguns poucos casos, mas provavelmente foi muito pouco e muito tarde.

À medida que o dia da eleição se aproximava do fim, os grandes e animados planos do domingo anterior pareciam se dissipar no clima frio e hostil dos locais de votação dominados por brancos. Alguns negros que vinham votar em Fort Deposit, na parte sul do condado, disseram ao SNCC e ao pessoal da LCFO que não queriam que nenhum negro os ajudasse; eles iriam votar nos brancos. Outras pessoas negras estavam cientes de que alguns dos funcionários eleitorais eram donos de plantações ou proprietários de grandes lojas de crédito, e se os eleitores pedissem ajuda à LCFO haveria repercussões. Houve algumas queixas de que alguns fiscais não estavam contestando os eleitores brancos. Não havia uma grande sensação de vitória na LCFO. Eles não esperavam que os resultados fossem favoráveis.

As urnas foram fechadas às dezoito horas e a sede da LCFO lentamente começou a se encher de militantes e candidatos para aguardar os resultados. Alguém trouxe um aparelho de televisão e as pessoas viram os resultados chegando em todo o país: Nova York, Michigan, Massachusetts, Illinois.

Os fiscais dos diversos distritos começaram a fazer a contagem dos votos e os totais foram afixados em um quadro negro que percorria quase todo o comprimento da sala:

CARGO	CANDIDATO LCFO	CANDIDATO BRANCO
XERIFE	Sidney Logan [1.645]	Frank Ryals, Dem. [2.320]
LEGISTA	Emory Ross [1.612]	Jack Golson, Dem. [2.265]
ASSESSOR FISCAL	Alice Moore [1.606]	Charlie Sullivan, Dem. [2.265]
COLETOR DE IMPOSTOS	Frank Miles [1.605]	Iva Sullivan, Dem. [2.270]
CONSELHO DE EDUCAÇÃO	Robert Logan [1.669]	David Lyons, Rep. [1.937]
CONSELHO DE EDUCAÇÃO	John Hinson [1.668]	Tommie Coleman, Rep. [1.966]
CONSELHO DE EDUCAÇÃO	Willie Strickland [1.602]	C. B. Haigler, Dem. [2.170]

Também naquela noite, o sr. Andrew Jones de Fort Deposit, um militante ativo da LCFO que havia passado o dia levando os eleitores às urnas, foi severamente espancado por um grupo de brancos enquanto voltava para casa. Sua filha de dezesseis anos foi testemunha ocular do ataque, e mais tarde relatou o ocorrido na sede da LCFO. Um casal, os Jordans (ele foi motorista no dia da eleição, ela foi uma fiscal eleitoral), foram expulsos da casa que fora seu lar por onze anos — com seus nove filhos — pelo proprietário da plantação.

• • •

Estava nítido: os brancos dividiram seus votos afinal, e um grande número de pessoas negras tinha votado nos brancos. Isto é o que o sr. Hulett e os outros entenderam: o número de eleitores negros registrados não representava o número que votaria com a LCFO.

O que aconteceu foi simples e previsível. Durante os primeiros meses depois de agosto de 1965, quando os registradores federais chegaram ao condado, os "negros independentes" se aglomeraram às centenas, ansiosos para se registrarem e votarem por uma mudança. Mas então os proprietários das plantações começaram a agrupar "seus negros" e a registrá-los. Quando chegou o dia da eleição, os brancos estavam confiantes de que tinham uma certa parcela do voto negro amarrada. É sem dúvida o caso em todo o Sul.

Sempre haverá pessoas negras que votarão nos brancos contra os negros, porque temem represálias econômicas e físicas, por causa de uma crença embutida de que a política e o voto são de fato "assunto dos brancos". Essas pessoas estão perdidas. Não se deve gastar muito tempo e recursos para tentar persuadi-las ou isolá-las. A tarefa importante é construir sobre esse núcleo de votos que já foram ganhos pela LCFO. Isso deve ser feito principalmente a partir dos 51% restantes ainda a serem registrados. No sábado e no domingo anteriores às eleições, muitas pessoas negras disseram que tinham a intenção de se registrar, mas simplesmente não tiveram tempo para isso. Os últimos dias de registro para esta eleição haviam caído durante o pico da colheita, e muita gente estava nos campos tentando vencer o mau tempo.

A LCFO deve estabelecer subdivisões distritais e estas devem fazer com que as pessoas sejam levadas para o posto de registro eleitoral. Isso deve ser acompanhado de sessões periódicas de educação dos eleitores sobre o funcionamento completo do processo eleitoral. O responsável pelo distrito deve se tornar tão familiar aos residentes do seu distrito quanto os ministros locais. Por muito tempo, as comunidades negras no Delta do Mississippi e nas áreas do cinturão negro tiveram que contar com apelos inspiradores e emocionais e com as táticas da política de protesto. Eles foram, em grande parte, bem-sucedidos; mas agora devem montar uma organização sustentável. A LCFO é agora um partido político reconhecido no condado; deve se organizar e operar como um.

O novo Partido da Liberdade do Condado de Lowndes também está ciente de que, de alguma forma, deve neutralizar a dependência econômica que tão seriamente impede a organização. É necessário começar a pensar em maneiras de construir um sistema de "patrocínio" — algum tipo de mecanismo para ajudar pessoas negras materialmente e em situações cotidianas. Um excelente exemplo ocorreu no dia das eleições às treze horas, quando o lar de uma família negra foi completamente destruído pelo fogo; catorze crianças, com idades entre 4 e 18 anos, e dois adultos ficaram sem teto e sem um tostão. A assistência imediata na forma de roupas, alimentos e dólares vindos do partido teria sido politicamente inestimável. É verdade que o partido não tem os recursos locais para ajudar cada família que teve sua casa queimada ou que foi expulsa de sua terra ou que necessita de um emprego, mas deve começar a caminhar nessa direção. Tal "patrocínio" deve sempre ser identificado como vindo do partido. Se necessário (e sem dúvida será necessário), podem ser lançados estímulos em comunidades selecionadas do Norte para ajudar até que o partido possa mostrar mais vitórias substanciais. Apenas assim, o povo negro correrá para a bandeira da "liberdade" e da "negritude" face ao medo de não ter dinheiro para cuidar das crianças.

De uma forma ou de outra, o fato é que os John Huletts do Sul participarão da tomada de decisões políticas em seu tempo e em sua terra. O dia oito de novembro de 1966 deixou uma coisa evidente: um dia o povo negro controlará o governo do condado de Lowndes. Pois Lowndes não é apenas um pedaço de terra e um grupo de pessoas, mas uma ideia. E a hora dessa ideia chegou.

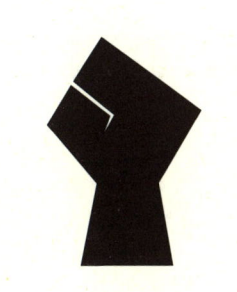

tuskegee, alabama: a política de deferência

VI

A cidade de Tuskegee, no Condado de Macon, Alabama, é, sem dúvida, uma das áreas mais significativas na história do homem negro neste país. Pessoas de todo o mundo conhecem Tuskegee como a base de Booker T. Washington, de 1881 até sua morte em 1915. Ele fundou o Instituto Tuskegee em 1881 e foi amplamente aclamado como o líder do povo negro durante esse período. Dr. George Washington Carver, o cientista, tornou-se um segundo grande nome; suas realizações no laboratório de ciências do Instituto Tuskegee com amendoins e batatas-doces o tornaram conhecido e respeitado internacionalmente numa época em que a maioria dos brancos e muitos negros não conheciam dr. W.E.B. DuBois, William Monroe Trotter e outros intelectuais negros da época. Em 1924, o primeiro hospital para veteranos de guerra dos Estados Unidos, totalmente administrado por pessoas negras, foi estabelecido em Tuskegee, trazendo para o condado uma riqueza de talentos educacionais e médicos. Durante a Segunda Guerra Mundial, Tuskegee foi o local da primeira base de treinamento para pilotos negros da Força Aérea. Depois, em 1958, tornou-se a primeira comunidade a ser investigada pela Comissão de Direitos Civis dos Estados Unidos, criada sob a Lei de Direitos Civis de 1957.

Desde o século 19, o povo negro constitui a principal população do Condado de Macon — e agora, cerca de 84%. No pós-Guerra Civil, negros votaram e às vezes fizeram seu voto ser escutado, como ilustraremos. Mas em 1901, a legislatura estadual racista branca emendou a Constituição do Estado e efetivamente destituiu os direitos da maioria dos cidadãos negros. Booker T. Washington protestou brandamente, mas posteriormente aceitou.

Este capítulo descreverá a longa, dura e bem-sucedida luta travada por alguns no condado para recuperar o direito ao voto, isto é, o status anterior de participação ampliada na política, e a maneira como essa participação recuperada tem sido exercida com "limitações". Os líderes negros não utilizaram, e nem utilizam, sua nova posição para exercer um poder político efetivo. Os líderes negros adotaram o que chamamos de "política de deferência".[12] Muitas pessoas lá, e em todo o país, enxergam Tuskegee como um "modelo" de governo "birracial" — pessoas negras e brancas trabalhando e governando juntas. Rejeitamos essa conclusão. Vemos a situação atual de Tuskegee como a perpetuação de uma sociedade racialmente deferente, e sugerimos que uma política de Poder Negro, como definida neste livro, seria muito mais saudável para a comunidade. Sugerimos que Tuskegee conseguiria se tornar um modelo melhor — no Norte e no Sul — para os numerosos distritos eleitorais onde os negros são maioria no governo.

Primeiro, vamos discutir a história política dessa comunidade.

• • •

Toda uma filosofia de relações raciais se desenvolveu em torno da liderança de Booker T. Washington no final do século 19. Essa filosofia encorajava os negros a concentrarem seu tempo e energia no desenvolvimento de seu potencial educativo e econômico. Tal filosofia tirou a ênfase da atividade política; Washington não se tornou conhecido por defender que os negros concorressem a cargos públicos. Os bons brancos cuidariam dos negócios políticos e, quando os negros provassem "seu valor", eles seriam aos poucos "aceitos" pelos seus vizinhos brancos. A noção de que as pessoas negras tinham que se provar para os brancos estava sempre embutida na filosofia de Washington. Lerone Bennett descreveu a liderança de Washington da seguinte forma em *Before the Mayflower* [Antes do Mayflower, em tradução livre]:

> Quase tudo que Washington disse ou fez foi feito com certa ironia. Ele se curvou diante dos preconceitos dos mais

---

12. Essa frase é atribuída ao dr. Paul L. Puryear, ex-professor de Ciências Políticas no Tuskegee Institute, agora na Fisk University.

mesquinhos sulistas, mas se moveu em círculos no Norte, fechados a todos os homens brancos, exceto alguns poucos. Ele disse aos negros que Jim Crow era irrelevante, mas ele mesmo violou a lei ao andar de primeira classe em carros Pullman com homens e mulheres brancos do Sul. E ironia das ironias: aquele que aconselhou os negros a esquecer a política exerceu mais poder político do que qualquer outro negro na história estadunidense. (BENNETT, 1962, p. 277)

Um aspecto muito irônico na carreira de Booker T. Washington é o contexto em que essa carreira começou. O próprio Instituto Tuskegee foi estabelecido porque, em 1880, o povo negro do Condado de Macon possuía poder político. Como já dissemos, os negros constituíam na época a grande maioria da população do condado. Um ex-coronel confederado, W. F. Foster, concorria à legislatura do Alabama pela chapa democrata. Obviamente precisando de votos negros, foi até o líder negro local, um republicano chamado Lewis Adams, e fez um acordo: se Adams convencesse os negros a votarem nele, ele pressionaria pelo estabelecimento de uma instituição de ensino superior para o povo negro no condado. Adams aceitou a oferta e cumpriu o acordo; Foster foi eleito e uma soma anual em dinheiro foi destinada para pagar os salários dos professores de uma faculdade. Adams entrou em contato com alguém do Instituto Hampton na Virgínia para que uma pessoa viesse e abrisse a instituição. O chefe do Instituto Hampton recomendou um de seus melhores professores, Booker T. Washington.

Assim, o povo negro de Tuskegee usou o poder do voto efetivamente para o alcance dos seus objetivos. Não estavam implorando, confiando em bons sentimentos ou na moralidade; eles trocaram seus votos por uma recompensa específica e significativa. Se Foster não tivesse mantido sua parte do acordo, poderiam tê-lo "punido" com seu poder político na próxima eleição. Esse tipo de força só poderia advir da organização e do reconhecimento de *seus próprios* interesses. Foster respeitava o Poder

Negro. Esse fato histórico parece ter sido esquecido por muitas pessoas que hoje aconselham o povo negro a seguir os ensinamentos de Washington no que diz respeito ao afastamento da atividade política. Se o senhor Adams e o povo negro não tivessem agido politicamente, Washington nunca poderia ter adquirido a influência que adquiriu.

Outra lição frequentemente esquecida da carreira de Washington diz respeito ao aspecto de sua postura que convocava os brancos a "recompensar" os negros com a inclusão "definitiva" no processo político. Washington acreditava firmemente que, uma vez que os negros adquirissem habilidades úteis à realidade do Sul (ferraria, carpintaria, cozinha, agricultura etc.), uma vez que adquirissem uma base econômica sólida, uma vez que comprassem casas e se tornassem cidadãos que agem conforme as leis da comunidade, os brancos deveriam e os "aceitariam" como "cidadãos de primeira classe". Isso significava, para Washington, incluí-los como eleitores e titulares de cargos públicos. Com esse objetivo em mente, Washington endereçou cartas às convenções constitucionais estaduais de Luisiana (1898) e Alabama (1901), estimulando-os a não revisitar suas constituições para negar o voto aos negros. Ele achava que qualquer revisão deveria se aplicar igualmente aos brancos e aos negros, que poderia ser sábio excluir *todas* as pessoas analfabetas e sem instrução.

Os brancos do Sul não deram ouvidos a seu conselho. O fato é que Washington superestimou a "boa vontade" e a "boa-fé" da sociedade estadunidense branca. Os negros de Tuskegee, em sua maioria, seguiram os ensinamentos do fundador do instituto. Eles não se concentraram na política; concentraram-se na aquisição de habilidades, na construção de uma vida economicamente segura. Mas não foram "recompensados" com a participação política. O Instituto e mais tarde o Hospital de Veteranos — ambos com funcionários negros — atraíram para a comunidade uma população negra com maior nível educacional e econômico do que em qualquer outro condado do estado. Esses negros construíam boas casas e exerciam seus negócios na faculdade ou no hospital sem desafiar o controle político dos 16% da população, os brancos.

Um *modus operandi* havia sido alcançado entre os negros e brancos do Tuskegee: os negros dirigiriam o Instituto Tuskegee e o Hospital de Veteranos, enquanto os brancos forneceriam serviços comerciais (bancos e lojas) e ocupariam todos os cargos políticos — supervisionando a aplicação da lei, a avaliação e cobrança de impostos, o sistema escolar público e assim por diante. A acomodação era perfeita, e muitas pessoas em todo o país apontaram Tuskegee como um exemplo de relações raciais harmoniosas. Assim, a grande sociedade de classe média negra teve seus bailes de debutante e clubes sociais, não fazia grandes exigências para participar da tomada de decisões políticas e parecia ter esquecido — ou talvez nunca souberam — a história política anterior do condado quando os negros votaram e ganharam benefícios políticos.

No capítulo IV, observamos que, em 1890, o Mississippi foi o primeiro estado da antiga Confederação a redigir suas leis de modo a excluir os negros do processo de votação — um procedimento que acabou adotado por praticamente todos esses estados. Em 1901, foi a vez do Alabama. O estado revisou sua Constituição, eliminando todos os eleitores — pretos e brancos — de suas listas. Em seguida, adotou novas regras para o registro; estas previam um teste de "alfabetização" no qual um candidato ao registro tinha que ler, escrever e *interpretar* uma seção da Constituição dos Estados Unidos ou da Constituição estadual. Conselhos locais de registro foram criados em cada condado e controlados, é óbvio, por brancos; eles podiam rejeitar um candidato caso ele não "interpretasse" a Constituição a contento deles. Também foi criado um sistema de "garantia", pelo qual dois eleitores já registrados deveriam "garantir" ou identificar o candidato ao registro. Os agentes responsáveis pelo registro exigiam que os solicitantes negros obtivessem as garantias de brancos. Assim, foi estabelecida uma série de dispositivos — aparentemente não raciais, porque a Décima Quinta Emenda à Constituição dos EUA proibia a discriminação de voto com base na raça; isso significava que as pessoas negras teriam muitas dificuldades para voltar aos livros de registro. Desnecessário dizer que os brancos se registraram sem demora ou táticas dilatórias por parte dos registradores. E, mais uma vez, é desnecessário dizer que os brancos logo tiveram a maioria dos eleitores registrados; o Poder Branco estava firmemente estabelecido.

Mas havia sempre um punhado de negros na comunidade que não aceitavam a posição politicamente subordinada a eles atribuída. Sabiam que eram súditos coloniais em suas próprias terras. No início dos anos trinta, um sociólogo negro ingressou no corpo docente do Instituto Tuskegee; ele declarou mais tarde: "Booker T. Washington veio ensinar os negros como ganhar a vida. Vim para ensiná-los a viver" (HAMILTON, 1962, p. 1). Com isso, queria dizer que os negros deveriam se tornar mais ativos nos assuntos cívicos. Um pequeno grupo começou a se organizar no final da década de 1930 para conseguir registrar mais pessoas negras. A liderança veio de uns trinta homens negros que formaram o Clube de Homens de Tuskegee. Esse grupo se reorganizou como a Associação Cívica de Tuskegee (TCA em inglês) em 1941. A TCA confrontou a classe média negra que, confortável com a situação, deixava o status quo permanecer como estava e os brancos da cidade muito satisfeitos com as boas maneiras dos negros que "conheciam seu lugar". O professor Charles G. Gomillion, um dos líderes da TCA, citou a declaração de um funcionário público branco em 1940 que resume a natureza das relações raciais no condado: "Às vezes, alguns dos negros rurais e alguns dos professores de cor do Instituto pensam que não os tratamos de forma justa, mas em geral conseguimos mantê-los pacificados" (GOMILLION, 1962, p. 232).

Lentamente, porém, os nomes negros aumentaram nas listas eleitorais: em 1940, havia aproximadamente 29 eleitores negros registrados, 115 em 1946, 514 em 1950 e 855 em 1954. O número subiu contra os obstáculos mais incríveis: os registradores se demitiam e não eram substituídos; negros doutores foram rejeitados por não serem capazes de declarar o tempo exato — incluindo dias — que eles residiam no condado. Em uma ocasião, o Conselho de Registros se reuniu dentro do banco local, na tentativa de evitar ter que aceitar pedidos de registro de pessoas negras. Isso ocorreu em 19 de abril de 1948, e uma pessoa de pele bem clara (que poderia se "passar" por branco) teve que localizar o local de reunião do Conselho depois que a informação foi negada a vários negros.

Muitas pessoas negras instruídas decidiram não se envolver nessa farsa. Em vez de se submeterem às indignidades constantes, simplesmente se retiraram. "Nós simplesmente não nos preocupamos com aqueles brancos da cidade" tornou-se uma resposta comum. Isso era, é óbvio, exatamente o que a estrutura do poder branco queria: tal atitude nunca comprometeria seu controle.

Ao contrário de outras áreas no cinturão negro, o Condado de Macon permaneceu relativamente livre de atos ostensivos de violência e intimidação durante os anos quarenta e cinquenta. Isso, mais uma vez, contribuiu para a fachada de "boas relações raciais" no condado. Raramente a Ku Klux Klan marchava no campus do instituto ou rumo à comunidade negra. Raramente se ouvia falar do xerife branco maltratar os negros — e quando acontecia, eram os "negros rurais" nas plantações. Raramente, se é que alguma vez, "os negros do instituto ou do hospital" foram maltratados. Isso era parte da barganha.

Ao contrário de outras áreas, as pessoas negras em Tuskegee não eram economicamente dependentes dos brancos. Não havia argumentos razoáveis que os brancos locais pudessem invocar para ameaçar os indivíduos negros com represálias econômicas, ao contrário do Condado de Lowndes, uma vez que muitas das pessoas da comunidade negra eram empregadas pelo hospital federal e pela faculdade particular. Foi entre esses negros que a liderança da comunidade negra se concentrou. Vamos dar uma olhada mais de perto na estrutura do "Establishment Negro" de Tuskegee.

As pessoas nos escalões superiores da faculdade e do hospital eram poderosas na comunidade negra, porque podiam obter certos benefícios muito limitados da estrutura de poder branca (um semáforo em certa esquina, uma estrada pavimentada) aqui e ali. Também eram influentes na comunidade negra porque os negros da classe média se identificavam com elas. As pessoas negras da zona rural ou não se importavam ou admiravam o "pessoal negro do Instituto" — uma herança lógica dos dias em que Booker T. Washington e seus assistentes mantinham uma relação estreita e paternalista com o povo negro nas áreas periféricas. As distinções entre poder e influência que existiam no Condado de Lowndes não existia em Macon. O ministério negro não era tão influente em Tuskegee quanto, digamos, em Lowndes. Em anos posteriores — no final dos anos cinquenta e sessenta — ministros ocuparam alguns cargos de liderança na TCA (um foi eleito para a Câmara Municipal e outro para o Conselho Fiscal do condado em 1964), mas os cargos de poder ou de influência, ou ambos, eram geralmente ocupados pelos funcionários do hospital e pelos membros do corpo docente do Instituto. Como comentaram os professores Lewis Jones e Stanley Smith, dois sociólogos negros do corpo docente do Instituto no final dos anos cinquenta:

> [...] aos ministros negros não é concedido o status e o reconhecimento que eles costumam ter em outras comunidades do Sul. Isso pode ser explicado, parcialmente, pelo fato de que eles estão perdidos em "um mar de profissionais". (JONES; SMITH, 1958, p. x)

Ninguém na comunidade negra desafiou a liderança negra estabelecida. Mesmo o pequeno grupo de pessoas que formou e desenvolveu a Associação Cívica de Tuskegee (TCA) não se colocou no papel de se esforçar para substituir a liderança tradicional. A TCA estava fortemente orientada para a educação: um programa de estudo cuidadoso e paciente de coisas como os deveres dos funcionários locais do condado, os deveres de cidadania etc. Em certo sentido, eles estavam simplesmente ampliando o currículo delineado por Booker T. Washington para incluir a preocupação cívica. O professor Gomillion escreveu:

> Os membros da TCA consideraram sua maior responsabilidade a educação cívica de todos os cidadãos da comunidade, negros e brancos, e a facilitação de ações cívicas intelectuais por parte de um número crescente de cidadãos negros. (GOMILLION, 1962, p. 233)

A liderança negra da TCA nunca imaginou um futuro que pudesse incluir a formação de um partido político separado; eles queriam, em última instância, entrar no Partido Democrata local. Essa liderança não se percebia com o objetivo de derrubar, substituir ou complementar as estruturas estabelecidas, muito menos alterar o sistema. Ela nunca foi alienada dos valores estabelecidos da sociedade; os líderes acreditavam que era possível trabalhar dentro das estruturas existentes para provocar mudanças. Assim, a TCA poderia ganhar a lealdade de muitos negros na comunidade sem que esses negros se vissem virando as costas ao seu líder filosófico, Booker T. Washington. Novamente no espírito de Washington, o povo negro de Tuskegee disse a si mesmo que poderia converter seus vizinhos brancos, que poderia "lidar com" os brancos da cidade — primeiro, economicamente, e depois, esperava-se, politicamente.

A TCA ocupava uma posição peculiar na comunidade negra. Poucas pessoas a apoiavam abertamente (e muitas desejavam que ela se calasse), mas reconheceram que algo estava errado com a relação de deferência unidirecional existente entre as raças na comunidade. As pessoas negras sabiam que era incongruente ter conquistas econômicas e educacionais e permanecer à mercê da política de uma minoria branca. Era, para dizer o mínimo, constrangedor, e, por essa razão, muitos negros nunca falavam sobre isso. Eles se retiravam e deixavam a TCA travar suas batalhas políticas. Sendo assim, a administração do Instituto afirmou sua posição sobre a liberdade acadêmica, que não censuraria os atos cívicos de seus professores. Por sua vez, o hospital federal mantinha um olho em seus funcionários e o outro na Lei Hatch, que proibia a atividade "política partidária" por parte dos trabalhadores governamentais.

Naturalmente, os negros da classe média de Tuskegee teriam preferido votar e fazer parte da tomada de decisões políticas, mas precisavam de um potente catalisador para levá-los à ação. Aparentemente, ainda acreditavam que não tinham provado o suficiente no sentido de Washington; de fato, eles eram — e, em muitos aspectos, permanecem — como criancinhas constantemente buscando o amor de seus pais — um tapinha na cabeça, um sorriso condescendente — apesar do fato de que esses pais os abandonaram, foram negligentes e até mesmo cruéis com eles.

Em 1957, houve um solavanco.

Nessa época, tinha ficado evidente que as pessoas negras do Condado de Macon logo teriam mais votos do que os brancos. Embora a liderança da TCA tenha feito declarações conciliatórias durante anos no sentido de que "não pretendemos tomar o poder por completo", os brancos do condado e do estado não ficaram tranquilos. Eles não acreditaram nas declarações, porque não era natural *não* votar contra aqueles que os mantiveram em subordinação política por décadas. Os brancos supuseram que eles reconheceriam que o interesse político do povo negro exigia que — no contexto da história do Condado de Macon do século 20 — negros votassem nos negros. Qual pessoa branca não participou do passado racista? Na sinceridade de qual pessoa branca um negro poderia confiar? Os brancos, portanto, persuadiram a legislatura estadual a aprovar uma lei que dividisse os distritos eleitorais da cidade de Tuskegee, com o objetivo de enfraquecer o voto negro. Em 13 de julho de 1957, os limites da cidade foram alterados, e o município, que tinha quatro distritos, passou a ter 28. Cerca de 420 eleitores negros foram assim excluídos da cidade; dez eleitores negros foram deixados; nenhum branco foi tocado. O crescente voto negro não pôde tomar o controle da cidade. Essa foi a resposta do Alabama aos ensinamentos de "paciência política" de Booker T. Washington.

Como disse o professor Lewis Jones, os brancos violaram o contrato entre Booker T. e a comunidade branca. Washington havia entendido que "eventualmente" seria permitida a entrada dos negros na arena política, mas os brancos tinham "nunca" em suas mentes. Os negros da classe média ficaram chocados e magoados; não podiam acreditar que seus bons vizinhos brancos fizeram isso contra eles! A TCA convocou uma campanha de compra seletiva (boicotes eram ilegais sob a lei estadual) contra os comerciantes brancos da cidade. Eles presumiram que a lei não teria sido aprovada sem o consentimento — tácito ou explícito — da cidade. (Isso, mais uma vez, aponta para a opinião fortemente defendida pela comunidade negra, em todo o país, de que existe uma estrutura monolítica de poder branco.)

O "boicote" durou cerca de quatro anos com um alto nível de eficácia. Durante um período de dois anos, vinte e seis negócios operados por brancos fecharam. Mesmo assim, os brancos não cederam politicamente. O povo negro de Tuskegee tinha independência econômica em relação aos brancos locais e a utilizava. Mas seu poder *político* não aumentou. Aparentemente, as pessoas brancas estavam dispostas a sofrer um desastre econômico em vez de conceder poder político aos negros. (Os limites da cidade não foram restaurados até 1961 e, então, como resultado de uma ação legal que culminou em uma decisão do tribunal federal de 1961 determinando que a alteração da divisão distrital tinha sido motivada racialmente em violação à Décima Quinta Emenda e que um estado não pode manipular limites municipais com base na raça, as antigas fronteiras foram restauradas.)[13]

---

13. O caso de manipulação eleitoral foi para a Suprema Corte, que tomou a decisão interlocutória de que um tribunal federal pode analisar o caso. Os brancos haviam argumentado que a questão era política, não jurídica. Uma vez encaminhado a um tribunal federal, o juiz Frank M. Johnson decidiu a favor dos negros.

Escrevendo em 1958, Jones e Smith declararam:

> O exercício de pressão econômica por parte dos negros, evitando fazer negócios com os comerciantes brancos, colocou seriamente em perigo a comunidade empresarial e criou uma crise econômica para toda a área. Entretanto, como a aplicação de tal pressão foi projetada para influenciar e mudar a atitude política dos comerciantes e outros grupos brancos em relação ao direito de voto dos negros, é necessário observar que o objetivo da campanha dos negros não foi atingido. [...] Historicamente, é significativo que neste grande teste, o grupo branco dominante tenha sido afetado economicamente por uma ação negra muito séria, embora seu poder político permaneça intacto. (JONES; SMITH, 1958, p. 43)

Os negros haviam alcançado educação e segurança econômica — duas coisas consideradas nacionalmente como os remédios para os problemas dos negros —, mas os brancos continuaram a impor e cobrar impostos, governar o sistema escolar, determinar as práticas de aplicação da lei. A razão é bastante óbvia: o povo negro não tinha poder *político*. A segurança econômica ou a promessa dela pode, como observamos no capítulo V, ser vital para a construção de uma força política forte. Mas, no vácuo, não serve de nada para as pessoas negras que trabalham por mudanças significativas.

Durante o mesmo período da disputa em torno da manipulação das regras eleitorais, a Comissão de Direitos Civis dos Estados Unidos conduziu investigações no Condado de Macon, o que destacou a negação por um longo período do direito ao voto. Funcionários da TCA testemunharam perante a Comissão e puderam demonstrar que durante o período de sete anos de 1951 a 1958, 1.585 pedidos de registros de eleitores foram feitos por negros. Apenas 510 certificados foram emitidos. A TCA documentou que, por um período de doze anos e meio antes de 1º de dezembro de 1958, o Condado de Macon ficou sem um Conselho de Registros por um total de três anos e quatro meses como resultado de renúncias e da recusa do governador e de outros membros do Conselho Estadual de Nomeação para preencher as vagas. É evidente que o governador se recusou a nomear qualquer negro para o Conselho de Registros. O quadro apresentado à Comissão foi de contínua frustração política dos esforços negros.

A TCA demonstrou grande habilidade em administração e coleta de dados — uma habilidade que desafia a alegação de alguns brancos e negros da comunidade de que os negros não seriam capazes de dirigir a máquina governamental do condado e da cidade. A TCA produziu um registro completo de cada pessoa negra que solicitou um certificado de eleitor desde 1951, o número admitido no escritório de registro e o tempo necessário para cada um completar o processo de inscrição. Um representante da TCA foi colocado no tribunal dia após dia, ano após ano — como pessoas negras podem ser tão pacientes? — para registrar essas informações; essa pessoa também observou a hora em que o Conselho de Registros começava a trabalhar, o tempo que permanecia em sessão e os dias em que deveria se reunir, mas não o fez.

Como se quisesse acrescentar mais um insulto branco à ferida negra, a TCA havia documentado que não conseguiu uma audiência perante o suposto representante do Condado de Macon na legislatura estadual. Em fevereiro de 1959, a TCA lhe enviou uma carta certificada; ela foi *devolvida, sem ter sido aberta, com o carimbo de "recusada"!* E tudo isso em um condado onde os negros eram a maioria, economicamente independentes e bem-educados. No entanto, o país nunca se incomodava com o Poder Branco.

Em 1959, o Condado de Macon tornou-se um dos primeiros condados contra os quais o Departamento de Justiça entrou com uma ação acusando negação de voto. Lentamente, tediosamente, com uma decisão judicial após outra proferida pelo juiz federal Frank M. Johnson de Montgomery, as pessoas negras foram acrescentadas às listas. Logo, o número de eleitores negros e negras excedeu o de eleitores brancos por uma margem substancial. Em 1964, havia aproximadamente 7.212 eleitores no condado: 3.733 negros, 3.479 brancos. Em 1966, esses números haviam aumentado substancialmente: 6.803 negros, 4.495 brancos. Os medos dos brancos que haviam instigado a tentativa de manipulação das regras eleitorais tornaram-se realidade.

Agora a grande pergunta era: os negros concorreriam a cargos públicos e tentariam tomar e usar o poder político? Novos grupos e indivíduos da comunidade começaram a insistir para que os negros votassem nos negros. Mas a TCA foi fiel à sua palavra: decidiu em 1964 não disputar os cinco assentos na Câmara Municipal; não se candidatar para a poderosa posição de juiz de sucessões; e endossar apenas um negro para o Conselho Fiscal do condado.

Essas decisões foram tomadas supondo que (1) era mais sensato se candidatar para poucos cargos para mostrar aos brancos locais que eles não precisavam temer a crescente do voto negro; (2) era melhor ganhar "experiência" em cargos públicos antes mesmo de pensar em assumir o controle total; (3) se o povo negro elegesse todos os candidatos negros, os brancos — além de deixarem o condado — poderiam, durante o período de fracasso, perturbar a situação financeira do condado a ponto de criar uma situação que tornaria os negros eleitos incapazes de governar efetivamente.

Um novo grupo de negros da comunidade, a Liga dos Eleitores Não Partidários, se opôs fortemente a essa posição. Eles achavam que o mínimo que o povo negro deveria fazer era controlar a maioria das cadeiras da Câmara Municipal e do Conselho Fiscal do condado, além de eleger um juiz de sucessões negro.

A liderança da TCA aconselhou o povo negro a votar em uma chapa do Partido Democrata, ou seja, em uma lista de candidatos negros e brancos endossados pelo Clube Democrata do Condado de Macon, o braço político da TCA. As lideranças da

TCA aconselharam o povo negro a *não* votar nos candidatos negros independentes endossados pela Liga dos Eleitores Não Partidários. Em uma declaração aos líderes negros dos distritos do condado, datada de 28 de outubro de 1964, Gomillion disse:

> Prezados Líderes de Zonas Eleitorais:
>
> A seguir, uma declaração que pode ser usada como um guia para reflexão e para informar os eleitores na segunda-feira à noite, 2 de novembro, quando vocês se encontrarem com eles.
>
> **1.** Os dirigentes do Clube Democrata do Condado de Macon acreditam que:
>
> **a.** Os eleitores negros podem demonstrar força política e poder mais efetivamente por meio da afiliação e participação em um partido político.
> **b.** Tal poder político dos negros do Condado de Macon pode ser melhor expresso por meio do Partido Democrata, pelo menos no momento atual.
> **c.** A melhor maneira de revelar ou expressar esse poder na eleição de 3 de novembro é por meio do maior número possível de votos para os *candidatos democratas*.
> **d.** A melhor maneira de obter o maior número possível de votos é por meio do voto nos *democratas*.
> [...]
> **h.** Votar nos democratas no 3 de novembro pode dar a impressão de que *sabemos* o que queremos, e sabemos *como* obtê-lo.
> [...]
> **j.** Votar na chapa democrata para *todos os cargos* nos níveis estadual e municipal nos revelará o tipo de força disponível para possível uso na eleição de outros negros para cargos no condado, tais como coletores de impostos, membros do Comitê Democrata do Condado ou membros da Assembleia Legislativa do Estado do Alabama.

[...] A questão importante aqui é se queremos ou não continuar a agir e ser tratados como negros ou avançar para a área mais ampla da política e agir como democratas, que *por acaso* são negros. [...] O Clube não se absteve de apoiar os Independentes porque eles são negros, mas porque eles são independentes. [...] Vamos mostrar ao Alabama e ao Comitê Nacional Democrata que os eleitores negros do Condado de Macon são leais aos democratas.

A posição da TCA e do Clube Democrata teve grande efeito. A imprensa branca de todo o país elogiou o povo negro de Tuskegee por sua decisão de não disputar todos os cargos, por não estabelecer uma "oligarquia negra" para substituir uma "oligarquia branca". As pessoas negras de Tuskegee estavam mostrando "bom senso", "paciência". O país começou a olhar para Tuskegee mais uma vez como um "modelo" para outras áreas racialmente tensas; estava apontando o caminho para outros negros. Tuskegee foi então lançada em um novo experimento político — governo "birracial" no cinturão negro do Sul. Uma coisa nova, de fato!

Os dois negros eleitos para a Câmara Municipal de Tuskegee foram imediatamente alvos de severas críticas de uma parte da comunidade negra. Os vereadores foram criticados por não falarem mais pela raça negra, por não levantarem a questão da segregação em alguns lugares de propriedade dos brancos. O importante e curioso sobre essas queixas era que, uma vez que o poder final ainda permanecia com os brancos, a *única* coisa que os dois vereadores podiam fazer era "falar", o que, naturalmente, não significava que as queixas seriam amenizadas. Com a proporção existente de 3-2 no Conselho, os negros ainda poderiam ser derrotados. O que é lamentável é que a comunidade negra não precisava ter se contentado com representantes que só podiam "falar"; poderia ter tido controle político.

Também foram ouvidas queixas contra o prefeito branco por não ter nomeado uma pessoa negra para atuar como escrivã na

Prefeitura; ameaças políticas tiveram que ser feitas antes que ele cedesse. Dois negros foram eleitos como juízes de paz, mas o xerife branco não reconhecia a autoridade deles.

Em 1966, houve um segundo solavanco em Tuskegee. Durante o verão do ano anterior, vários estudantes do Instituto Tuskegee desafiaram várias formas de discriminação explícita que existiam na cidade. Tentaram entrar em restaurantes "brancos" (e foram recusados), promoveram comícios, protestaram contra lojas que não contratavam negros. Várias vezes, tentaram visitar as igrejas brancas segregadas e foram brutalmente espancados duas vezes. Então, em janeiro de 1966, um dos líderes estudantis — Sammy Younge Júnior — foi morto a tiros por um homem branco quando tentou usar o banheiro reservado para os brancos em um posto de gasolina. (O homem foi mais tarde absolvido por um júri totalmente branco em outro condado.) O próprio Younge era membro de uma respeitada família de classe média da cidade; seu assassinato (sem mencionar os espancamentos nas igrejas) deveria ter deixado nítido para a classe média negra a loucura e a desesperança de sua abordagem anterior. Para alguns, isso aconteceu; outros seguiram seu caminho confortável, sem nada mudar.

Ainda naquele ano, sem nenhum incentivo ou ajuda da TCA, um cidadão negro, Lucius Amerson, decidiu candidatar-se a xerife do condado. Um membro da TCA — ele próprio vereador na cidade — apoiou publicamente o atual xerife branco como "o melhor homem". Amerson fez campanha em todo o condado, especialmente entre os negros da zona rural. Não foi uma campanha "racista"; repetidas vezes ele reiterou que conduziria seu cargo de forma equitativa e sem favoritismo de raça. Amerson foi eleito em novembro de 1966, apesar da falta de apoio da TCA.

Contudo, o Poder Branco da comunidade persistiu. Amerson foi imediatamente confrontado com esforços dos brancos para anular seu poder. O Conselho Fiscal, controlado pelos brancos, reconduziu o ex-xerife ao cargo de fiscal de licenças para vender álcool, um cargo que Amerson declarou querer, na medida em que suas funções incluíam tais assuntos. O Conselho negou-lhe fundos extras necessários para realizar suas funções. Policiais brancos foram nomeados pelos juízes brancos locais, numa tentativa de contornar o poder de aplicação da lei do novo xerife.

Em outras áreas da vida de Tuskegee, os brancos mantiveram o controle final em 1967. A Prefeitura continua sendo controlada pelos brancos; assim como o Conselho Fiscal do condado, o conselho escolar, os gabinetes dos juízes de sucessões, do assessor fiscal, do procurador do condado e vários conselhos locais de planejamento.

Há várias conclusões que se poderia tirar sobre esse condado do cinturão negro do Alabama.

1) A comunidade negra de classe média está agarrada a um conjunto de valores e uma retórica que nunca se aplicou naquela área nem em qualquer outra área deste país: uma linguagem de amor cristão, caridade, boa vontade. Quando Sammy Younge Jr. foi morto, um grupo de estudantes frustrados realizou manifestações de protesto na cidade, e houve alguns danos à propriedade como resultado do assédio e intimidação dos manifestantes pela polícia local. Alguns negros condenaram os estudantes e não as circunstâncias da morte de Younge. Uma mulher negra de Tuskegee, proeminente nos assuntos cívicos da cidade, disse:

> Qualquer pessoa que me conhece entende que não me rendo a ninguém em matéria de igualdade de direitos. Há muito tempo trabalho para a eliminação de injustiças e discriminação. Acredito no sonho americano — o princípio cristão da democracia para todos, independentemente de raça, cor ou credo. Eu mantenho firme essa convicção.
>
> Nos últimos dias, especialmente no sábado passado, os eventos relacionados com o movimento pela igualdade de direitos não fizeram nada para progredir, mas apenas prejudicaram a causa de quem milita de forma responsável. Refiro-me, é óbvio, à

demonstração de comportamento indisciplinado e irresponsável por parte de alguns jovens que foi marcada pelo arremesso de pedras e garrafas. Eu me envergonho de cada pessoa responsável por esse horrível incidente ou qualquer pessoa que tenha participação no ocorrido.

[...] a grande maioria dos cidadãos negros maduros, cristãos e de pensamento correto lamentam o que aconteceu. Há muitas necessidades na situação atual. A primeira é a ação responsável e o exercício de um julgamento tranquilo por parte de cada cidadão. Aqueles de nós que vivem aqui e amam esta comunidade têm muito em jogo. Os simpatizantes da SNCC e os poucos que são persuadidos a agir fora da lei parecem não entender isto. Queremos um tipo de relação construída sobre bases sólidas, que perdurará no decorrer dos anos — uma relação que depende da confiança e do respeito mútuos. Isso não se alcança com violência e anarquia. [...] Houve um artigo na revista *Time* da semana passada que se referia ao recente assassinato como imperdoável e que o mesmo teria removido a fachada que havia encoberto a falta de progresso em igualdade de direitos. Qualquer pessoa que conhecesse a situação dos eleitores aqui há vários anos e que conhecesse os fatos hoje, não poderia concordar com essa afirmação. [...] Claro, nós não realizamos todas as nossas ambições. Certamente, temos um longo caminho a percorrer. Mas o importante é que estávamos no caminho — que tínhamos feito progressos notáveis, e que esses progressos tinham sido feitos sem violência de qualquer tipo.

[...] Tuskegee é nossa casa, estamos orgulhosos de suas instituições. Insistimos na igualdade de oportunidades — sob a lei e sob Deus — mas não somos manifestantes radicais de rua, perdendo o controle de nossos bons instintos. Tampouco endossaremos ou apoiaremos aqueles que trabalham sem propósito ou preocupação com a lei e a ordem.

Que todos nós — brancos e de cor — unamos as mãos para garantir a justiça, a obediência à lei e a boa vontade que trará progresso em todas as áreas de nossa vida comum.[14]

Essa carta representa o pensamento de muitos negros da classe média em Tuskegee. Essas pessoas, de fato, acreditam no "sonho americano". Mas esse sonho, como já foi observado, não foi originalmente destinado a incluí-las e não inclui as massas negras de hoje.

A senhora também não é realista quanto às atitudes dos brancos. As pessoas negras devem parar de se iludir de que a maioria dos *brancos* possui boas intenções. A sociedade estadunidense branca, de muitas maneiras, tem dito ao povo negro que as esperanças e a linguagem da carta reproduzida acima nada mais são do que lamentações ingênuas. Observe as advertências dos "respeitáveis" redatores do *The Saturday Evening Post*:

> Todos nós somos, sejamos francos, mississipianos. Todos nós desejamos fervorosamente que o problema do negro não existisse, ou que, se tem que existir, pudesse ser ignorado. Confrontados com a gritante necessidade de escolas decentes, empregos, moradia e todos os outros direitos mínimos do sistema estadunidense, faremos o nosso melhor, de forma um tanto quanto sem entusiasmo, para corrigir os velhos erros. A mão pode ser estendida com relutância e paternalismo, mas qualquer um que rejeita essa mão rejeita seus próprios interesses. *Pois direitos mínimos são os únicos direitos que estamos dispostos a garantir e, acima desses direitos mínimos, há e continuará a haver uma vasta área de discriminação e desigualdade e injustiça*, a área na qual reivindicamos o direito mais básico de todos — o direito de ser estúpido e preconceituoso, o direito de

---

14. Carta para o editor, publicada no *The Tuskegee News*, 20 de janeiro de 1966, p. 2.

cometer erros, o direito de ser menos e pior do que fingimos, o direito de ser nós mesmos (grifo dos autores).[15]

Essas declarações fazem com que a linguagem dos negros da classe média de Tuskegee pareça ridícula — e bastante vergonhosa. Tais negros estão satisfeitos com o fato de terem ocorrido certas mudanças sem violência. Mas se houvesse um confronto mais sincero com os brancos por parte desses negros, tão decididos a evitar a violência só por evitar, Sammy Younge e muitos outros negros não estariam mortos hoje. Aqueles que procuram o progresso de Tuskegee devem refletir sobre a seguinte declaração de um professor sobre o corpo docente do Instituto:

> Se considerarmos Tuskegee como uma comunidade modelo que tem feito progressos constantes em direção à reconciliação racial enraizada no respeito e na aceitação mútuos, é difícil explicar a intensa reação à morte de Younge — uma intensidade sub-representada pelas quatro caminhadas por direitos civis que ocorreram. Na verdade, os acontecimentos do ano passado deixam bem nítido que Tuskegee tem vivido uma mentira — uma mentira que se torna ainda mais perigosa pelo aparente controle que os negros asseguraram sobre as agências políticas da comunidade. [...] A culpa está na natureza autoenganosa da visão que guia ambos os grupos e na pressão externa que impede que essa visão seja alterada. (KAUFMAN, 1966, p. 119)

As pessoas negras de Tuskegee — em grande parte negros de classe média — se acalmam pensando que estão descrevendo o que é ou pode ser. Estão simplesmente enganando a si mesmos. Suas nobres palavras — aplaudidas por muitos brancos — podem fazê-los se sentirem moralmente superiores, mas não

---

15. Matéria intitulada "A New White Backlash?", publicada no *The Saturday Evening Post*, 10 de setembro de 1966, p. 88.

fazem nada para ganhar poder político, o poder necessário para acabar com os assassinatos e a discriminação. A comunidade negra de Tuskegee não precisa mostrar aos brancos que tem uma boa retórica. Os brancos sabem que o poder não é amor, caridade cristã etc. Se essas coisas vierem, que se desenvolvam a partir de um respeito pelo poder mútuo. Os brancos deixarão de matar negros e de brincar com os negros quando os negros fizerem com que não valha mais a pena fazê-lo.

O povo negro de Tuskegee está perpetuando uma sociedade deferente onde pessoas negras devem sempre provar algo aos brancos. Primeiro, tinham que provar que podiam se lavar, limpar, obter uma educação e ser um povo negro simpático antes que os brancos os "aceitassem". Depois, quando obtiveram o poder do voto — sem absolutamente nenhuma ajuda dos brancos locais — tiveram que provar sua paciência e boa vontade, não fazendo uso efetivo dele. Supostamente, tinham que aprender como governar com o homem branco. Não foi articulada uma rejeição mais sucinta dessa visão do que a do dr. Paul L. Puryear, antigo professor de Tuskegee: "Como podemos aprender com aqueles que têm demonstrado incompetência?".

Os brancos de Tuskegee têm governado por décadas e esse governo tem sido despótico. A única lição que os brancos de Tuskegee podiam ensinar aos negros era como excluir os negros das posições de poder. O povo negro não deve ceder à noção fantasiosa de que os brancos, por serem brancos, têm prioridade no talento de liderança. O único talento certo que os brancos de Tuskegee demonstraram é a capacidade de reprimir e oprimir o povo negro. Render-se a essa história desprezível em nome do "amor" e do "birracialismo" é um absurdo. O povo negro deve criar em vez de imitar, criar formas que sejam politicamente inclusivas em vez de imitar velhas formas racistas que são politicamente exclusivas. O povo negro não tem nada a provar aos brancos; o ônus da prova recai sobre os brancos que têm que provar que eles são civilizados o suficiente para viver na comunidade e compartilhar sua governança.

Tuskegee, Alabama, poderia ser o modelo de Poder Negro. Poderia ser o lugar onde os negros acumularam poder político e usaram esse poder efetivamente. O povo negro de Tuskegee conseguiria desempenhar um papel importante na construção de uma organização política independente do condado que se voltasse às necessidades dos residentes negros, segundo as linhas que já indicamos. Tal força independente daria maior significado à eleição de Amerson, criando uma base genuína e organizada de poder — não apenas colocando um negro, por mais valioso que fosse, no cargo. Além disso, apesar das circunstâncias especiais que prevalecem no Condado de Macon — o alto nível educacional, segurança econômica —, o Instituto Tuskegee poderia servir como um centro de treinamento para potenciais líderes comunitários nativos de outras áreas.

Seria ingênuo esperar que a operação do Poder Negro em Tuskegee pudesse transformar a política do estado do Alabama. Mas conseguiria estabelecer naquela área um governo viável baseado em um novo e diferente conjunto de valores — a humanidade — e servir como um exemplo do que o governo civilizado *poderia* significar nesta sociedade.

Pessoas negras não precisam se desculpar ou se defender por controlar suas comunidades desse modo. Vimos que é a única maneira segura de acabar com o racismo neste país. O modelo Tuskegee *poderia* ser aplicável a áreas negras em outras partes do país, incluindo os guetos do Norte. Embora não exista nenhuma possibilidade generalizada de governar condados inteiros no Norte neste momento, estamos cientes de que, num futuro muito próximo, muitas das cidades urbanas do Norte serão predominantemente negras. Bolsões de Poder Negro poderiam se desenvolver e se tornar ilustrações do que o governo legítimo realmente é — um fenômeno que não experimentamos até hoje nesta sociedade. Nos próximos dois capítulos, analisaremos os guetos urbanos e algumas formas possíveis de dar substância aos nossos objetivos.

dinamite no gueto

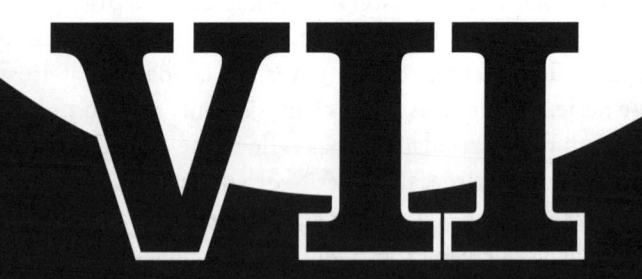

VII

Este país é conhecido por suas cidades: aqueles incríveis aglomerados de pessoas e moradias, escritórios e fábricas, que constituem o coração de nossa civilização, o centro nervoso de nosso ser coletivo. Os Estados Unidos estão cada vez mais dominados por suas cidades, à medida que atraem para elas a força bruta e o cérebro e a riqueza do interior. Setenta por cento do povo estadunidense agora reside em áreas urbanas — todas elas em estado de crise. Estima-se que, em 1980, mais cinquenta e três milhões de pessoas estarão vivendo nas cidades. Em 2000, 95% de todos os estadunidenses estarão vivendo em áreas urbanas.[16] Milhões dessas pessoas serão negras. Por uma série de razões, a cidade se tornou o principal problema doméstico que esta nação enfrenta na segunda metade do século 20.

> O poder corporativo deslocou sua estrutura e influência para as cidades. [...] A apropriação de terras públicas e incentivos fiscais não são mais suficientes para o poder corporativo. Em vez disso, ele exige centralização, força de trabalho com capacidade intelectual e habilidades para a administração de sua tecnologia produtiva. Por essas e outras razões, a corporação chegou com força total à cidade. Seu desfile requer uma opinião favorável para resistir aos receios do público. Assim, passaram a controlar os meios de comunicação, as escolas, a imprensa, a universidade — como propriedade, contrato ou serviço público. [...]

> O federalismo também está se deslocando para a cidade, por meio do crescimento das relações diretas entre o governo federal e os governos locais na educação, na habitação, nos transportes, nos programas sociais etc. Uma nação de federalismo urbano está emergindo, enquanto os estados se tornam gradualmente administrações regionais do governo nacional. [...]

---

16. Pesquisa publicada pelo *Congressional Record*, em 23 de janeiro de 1967.

Seu maior objeto de interesse é a nova classe média. A tecnologia, a consolidação corporativa e a economia pública estão transformando essa classe de uma situação baseada na propriedade para uma situação baseada no salário. É uma classe de administradores assalariados com formação universitária, cujo interesse principal é garantir mais objetos para o serviço, gerenciamento e controle. Para esse fim, a classe média precisa de uma clientela dependente em permanente expansão e poder de organização suficiente para proteger sua função e ampliar suas fileiras. Serviço e especialização são seus princípios ocupacionais. Portanto, a nova classe busca ampliar os programas de serviço; refinar as qualificações de desempenho; e controlar sua atuação por meio de organizações profissionais. [...]

De forma correspondente, a classe baixa foi transformada da produção para o desemprego permanente. Seu valor não é mais a mão de obra, mas a dependência. [...] Ambos os grupos e os interesses aliados estão na batalha diária, que se manifesta nas desordens recorrentes que envolvem moradia, educação e administração dos programas sociais. [...]

A questão crucial do controle público da tecnologia reside na cidade. Aqui, os efeitos sentidos da tecnologia encontram o poder popular de questionar, resistir e, até mesmo, de orientar democraticamente a automação para um melhor propósito. É questionável se a decisão democrática pode prevalecer sobre o controle privado da tecnologia. Mas a questão terá que ser enfrentada na cidade. (KOTLER, 1965)

Os problemas da cidade e do racismo institucional estão nitidamente entrelaçados. Em nenhum lugar as pessoas são tão dispensáveis na marcha progressiva do poder corporativo como no gueto. Ao mesmo tempo, em nenhum lugar o poder político potencial do povo negro é maior. Para que possamos lidar com a crise que enfrentamos na cidade, o problema do gueto deve ser resolvido primeiro.

O povo negro agora detém o equilíbrio do poder eleitoral em algumas das maiores cidades do país, enquanto os especialistas em população preveem que, nos próximos dez a vinte anos, pessoas negras constituirão a maioria em uma dúzia ou mais das maiores cidades. Em Washington, D.C. e Newark, New Jersey, já são maioria; em Detroit, Baltimore, Cleveland e St. Louis, representam um terço ou um pouco mais da população; em lugares como Oakland, Chicago, Filadélfia e Cincinnati, constituem bem mais de um quarto. Mesmo no auge da imigração europeia, nenhum grupo étnico se multiplicou tão rapidamente nos Estados Unidos. A fim de compreender o gueto negro — tanto seus grandes problemas quanto sua capacidade de se tornar uma força política chave na parcela urbana do país — devemos dar uma breve olhada na história da migração negra para o Norte.

• • •

Muitos escravizados fugiram para o Norte antes da emancipação, enquanto alguns, é óbvio, migraram para Libéria, Haiti e América Central. A Proclamação de Emancipação libertou muitos do trabalho escravo e, começando com o fim da Guerra Civil, se desenvolveu ali um fluxo constante de homens libertos do Sul. Durante a Reconstrução, essa migração para o Norte se tornou um pouco mais simples com a capacidade dos negros de tirarem proveito do novo status legal.

Logo depois, porém, o racismo e o fanatismo sulista se espalharam. Milhares de pessoas negras foram mortas na década de 1870 em um esforço dos brancos para destruir o poder político que o povo negro havia conquistado. Tudo isso foi completado pelo acordo de 1876 (mencionado no capítulo IV), pelo qual os republicanos garantiram que o sr. Hayes, quando se tornasse presidente, permitiria, por meio da não interferência e retirada das tropas, que os donos de terras — sob o nome de democratas

— controlassem o Sul do país. A retirada dessas tropas pelo presidente Hayes e a nomeação de um ministro do Kentucky e um da Geórgia para a Suprema Corte selaram o pacto.

Em *Black Reconstruction in America*, DuBois retrata nitidamente a situação:

> Os negros não entregaram o direito de voto facilmente nem imediatamente. Continuaram a deter resquícios do poder político na Carolina do Sul, Flórida, Luisiana, em partes da Carolina do Norte, Texas, Tennessee e Virgínia. Os congressistas negros vieram do Sul até 1895 e os legisladores negros serviram até 1896. Mas em uma batalha perdida contra a opinião pública, a indústria e o poder econômico [...] a influência decisiva foi a pressão econômica sistemática e esmagadora. Os negros que queriam trabalho não deveriam se envolver em política. [...] A partir de 1880, para ganhar a vida, o negro estadunidense foi obrigado a abrir mão de seu poder político. (DUBOIS, 1964, pp. 692-693)

O povo negro estava, portanto, buscando formas de se mudar novamente. Cerca de sessenta mil pessoas foram para o Kansas, dois terços delas indigentes na chegada. Em geral, porém, a migração para escapar do novo regime no Sul não começou realmente até a Primeira Guerra Mundial. Os negócios estavam em alta em 1914-1915. Isso, por sua vez, aumentou o mercado de trabalho e, com a guerra cortando o fluxo de imigrantes da Europa, a indústria do Norte iniciou uma campanha maciça para recrutar trabalhadores negros. A emigração do extremo Sul saltou de duzentos mil na década de 1890-1900 para meio milhão em 1910-1920. Essa migração para o Norte não cessou com o fim da guerra. As Leis de Imigração e Exclusão do início da década de vinte criaram uma grande demanda da indústria por mais trabalhadores (especialmente com o novo conceito de linha de montagem empregado pela Ford). Como resultado, durante os anos 1920 e 1930, cerca de um milhão e trezentas mil pessoas negras migraram do extremo Sul para o Norte. Em 1940, mais de dois milhões de negros haviam migrado para o Norte. (No entanto, até 1940, mais de três em cada quatro negros ainda permaneciam no Sul.)

A Segunda Guerra Mundial intensificou a migração negra para fora do extremo Sul, mais do que a Primeira Guerra Mundial havia feito. Os negros se mudaram para Los Angeles, Pittsburgh, Akron, Gary, Kansas City, Cincinnati, Filadélfia, Washington, Chicago, Nova York e muitos outros lugares. Encontraram trabalho nas siderúrgicas, fábricas de aviões e estaleiros navais como, em sua maioria, operários e trabalhadores domésticos. Durante os anos quarenta, cerca de duzentos e cinquenta mil negros migraram para a Costa Oeste apenas para encontrar trabalho. Essa migração não diminuiu com o fim da guerra, e continuou até a década de sessenta.

O Censo dos Estados Unidos indica:

AUMENTO DA POPULAÇÃO NEGRA FORA DA REGIÃO SUL

	% DO TOTAL	Nº DE NEGROS
1900	10	1.647.377
1910	11	1.899.654
1920	15	2.407.371
1930	21	3.483.746
1940	23	3.986.606
1950	32	5.989.543
1960	40	9.009.470

Hoje, mais de 65% do povo negro vive na área urbana dos Estados Unidos. O número inclui, evidentemente, muitas das áreas urbanas do Sul — Atlanta, Birmingham, Jackson etc. A mecanização das plantações do Sul tem sido uma das principais razões para a migração. Em 1966, mais de 75% de todo o algodão foi colhido por máquinas nos dezessete condados que mais produzem algodão do Mississippi. (Uma máquina pode colher um fardo de algodão por hora; um homem experiente leva uma semana para colher um fardo.)

Os dados do censo nos mostram que o maior aumento percentual da população negra ocorreu no Oeste, especialmente na Califórnia. Cerca de 8% da população negra vivia no Oeste em 1966, em comparação com 5,7% em 1960. Os aumentos no Nordeste e no Centro-Norte não foram tão acentuados, embora as porcentagens gerais tenham sido maiores. (Cerca de 17,9% da população negra viviam no Nordeste em 1966, em comparação com 16% em 1960, enquanto 20,2% viviam nos estados do Centro-Norte, em comparação com 18,3% em 1960.)

Quais problemas as pessoas negras enfrentaram ao se mudarem para essas áreas? A maioria dos negros que se mudou para o Norte foi amontoada nos guetos das cidades. Diante de bombas e motins, essas pessoas lutavam por um lugar para viver e por espaço para os parentes e amigos que os seguiam. Enfrentavam também uma luta diária por empregos. A princípio, foram recusados a trabalhar na indústria e forçados a aceitar trabalhos domésticos. Como vimos, a guerra trouxe muitos empregos, mas durante os períodos de recessão e depressão pessoas negras foram as primeiras a serem excluídas do mercado de trabalho, enquanto os empregos que exigiam maior qualificação, em sua maioria, permaneceriam vedados para elas. Somado aos problemas de moradia e empregos, é evidente, havia o problema da educação. No início do século 20, essas três questões se tornaram problemas fundamentais do gueto e questões fundamentais nas primeiras tensões raciais. A cidade de Chicago oferece uma ilustração clássica desse caso.

Quando os negros começaram a chegar em Chicago na virada do século, foram forçados a viver em velhos guetos, onde os aluguéis eram mais baratos e as casas mais pobres. Eles tomaram conta dos velhos barracos dilapidados perto dos trilhos da ferrovia e de outras áreas indesejadas. A tremenda demanda por moradias resultou em um aumento imediato dos aluguéis no gueto. O pânico costumava ser artificialmente criado por agentes imobiliários empreendedores que espalhavam: "Os negros estão chegando", e então dobravam os valores dos aluguéis depois que os brancos fugiam.

A expansão do gueto desenvolveu tanto atrito que bombas eram frequentemente jogadas em casas de pessoas negras nos bairros em expansão. Em Chicago, mais de uma dúzia de casas negras foi bombardeada entre 1º de julho de 1917 e 1º de julho de 1919. Esse bombardeio esporádico de casas negras foi apenas o prelúdio de um motim de cinco dias em julho de 1919, que tirou pelo menos trinta e oito vidas, resultou em mais de quinhentos feridos, destruiu duzentos e cinquenta mil dólares em propriedades e deixou mais de mil pessoas desabrigadas. Em seu livro, *Black Metropolis* [Metrópole Negra, em tradução livre], St. Clair Drake e Horace Cayton descrevem como o motim terminou no sexto dia após a intervenção da milícia estatal, chamada tardiamente depois que a polícia mostrou sua incapacidade e, em algumas circunstâncias, sua relutância em conter os ataques aos negros (1962, p. 64).

Uma comissão, interracial e não partidária, foi designada para investigar e fazer recomendações sobre relações raciais em Chicago. De acordo com Drake e Cayton, a comissão recomendou a correção de iniquidades grosseiras de proteção por parte da polícia e do procurador do estado; também repreendeu os tribunais por sua jocosidade ao lidar com réus negros e a polícia por discriminação na realização de prisões. O Conselho de Educação foi solicitado a exercer um cuidado especial na seleção de diretores e professores das escolas do gueto (as escolas naquela época eram segregadas por lei, enquanto hoje as escolas do gueto são segregadas *de fato*), para aliviar a superlotação e dupla jornada escolar. Empregadores e organizações trabalhistas foram advertidos contra o uso de trabalhadores negros como fura-greves e contra sua exclusão dos sindicatos e das indústrias. A Câmara Municipal foi solicitada a condenar todas as casas impróprias para moradia humana, muitas das quais foram encontradas no gueto negro. A comissão também afirmou o direito das pessoas negras de morar onde quisessem e pudessem pagar. Insistiu que a depreciação de propriedades em áreas negras era frequentemente devido a outros fatores além da ocupação negra; condenou o aumento arbitrário dos aluguéis e designou os valores e a qualidade das moradias como um fator de suma importância no problema racial de Chicago. Olhando para essas recomendações, percebemos que não só são semelhantes, mas quase idênticas às exigências feitas pelo grupo do dr. Martin Luther King quarenta e sete anos mais tarde em Chicago, sem mencionar outras áreas urbanas na década de 1960.

Tais tensões e recomendações seriam ouvidas muito mais vezes nas áreas urbanas de todo o país durante os anos vinte, trinta e quarenta. Mas nos anos cinquenta nasceu um movimento de protesto político que teve um efeito calmante, um efeito de "vamos esperar pra ver no que vai dar" sobre a atitude de muitos negros urbanos. Houve a decisão da Suprema Corte de 1954; o boicote aos ônibus de Montgomery de 1955 a 1957; o envio de tropas federais para Little Rock, Arkansas, para evitar interferências com a dessegregação escolar em 1957. O movimento estudantil em 1960 e 1961, o apelo emocional do presidente Kennedy e a grande visibilidade dada à NAACP, Liga Urbana, CORE, SNCC e outras organizações de direitos civis contribuíram ainda mais para criar um período de relativa calma no gueto.

Então, na primavera de 1963, a trégua acabou.

A erupção em Birmingham, Alabama, na primavera de 1963, mostrou como a raiva pode rapidamente se transformar em violência. Os negros ficaram furiosos com a matança de Emmett Till e Charles Mack Parker; com o fracasso dos governos federal, estadual e municipal em lidar honestamente com os problemas da vida no gueto. Agora eles liam nos jornais, viam na televisão e assistiam, das próprias esquinas, aos cães da polícia, às mangueiras de incêndio e aos policiais espancando seus amigos e parentes. Assistiam a mulheres e jovens estudantes do ensino médio serem espancados, e Martin Luther King e seus colegas de trabalho serem levados para a prisão. A centelha foi acesa quando um pequeno hotel de propriedade negra em Birmingham e a casa do irmão de dr. King foram bombardeados. Essa incipiente explosão trouxe centenas de pessoas negras furiosas para as ruas, jogando pedras e garrafas e atirando em policiais. Os ecos estavam por toda parte. Em Chicago, alguns dias depois, dois jovens negros agrediram o sobrinho de 18 anos do prefeito gritando: "Isto é por Birmingham". Foi por Birmingham, é verdade, mas foi por trezentos e cinquenta anos de história antes de Birmingham também. As explosões logo foram ouvidas em Harlem, Chicago, Filadélfia e Rochester em 1964, Watts em 1965, Omaha, Atlanta, Dayton e dezenas de outros lugares em 1966. James Baldwin declarou isso nitidamente em 1963: "Quando ocorrer um protesto racial [...] ele não se espalhará apenas por Birmingham. [...] O problema se espalhará por todos os centros metropolitanos da nação que têm uma significativa população negra".

Esta breve olhada na história indica nitidamente que as perturbações em nossas cidades não são apenas reações isoladas ao grito de "Poder Negro", mas partem de um padrão. Os problemas do Harlem na década de 1960 não são muito diferentes dos do Harlem em 1920.

• • •

O problema central dentro do gueto é o círculo vicioso criado pela falta de moradia decente, empregos decentes e educação adequada. O fracasso dessas três instituições fundamentais levou à alienação do gueto em relação ao restante da área urbana, bem como a profundas rachaduras políticas entre as duas comunidades.

Nos Estados Unidos, julgamos pelos padrões estadunidenses, e por essa medida descobrimos que o homem negro vive em moradias incrivelmente inadequadas, abrigos miseráveis que são perigosos para a saúde mental e física e para a própria vida. Estima-se que vinte milhões de pessoas negras investem anualmente quinze bilhões de dólares em aluguéis, pagamentos de hipotecas e despesas de moradia. Mas como sua escolha está em grande parte limitada aos guetos, e porque a população negra está crescendo a uma taxa que é 150% maior que a do aumento da população branca, a escassez de abrigos para a pessoa negra não é apenas aguda e perene, como também está ficando cada vez maior. Os negros são automaticamente forçados a pagar preços altos por tudo o que recebem, mesmo um apartamento de doze metros quadrados sem aquecimento.

Os programas de renovação urbana e de desobstrução de rodovias forçaram cada vez mais os negros a irem para locais congestionados do centro da cidade. Visto que as leis de zoneamento suburbano têm mantido de fora as habitações de baixa renda e o Governo Federal não aprovou leis de ocupação, o povo negro é forçado a permanecer nos guetos deteriorados. Assim, a aglomeração aumenta, e as condições das comunidades pioram.

Em Mill Creek (leste de St. Louis), Illinois, um empreendimento de renovação urbana, por exemplo, removeu a área de um gueto negro e em seu lugar surgiu um conjunto habitacional de renda média. O que aconteceu com os despejados para dar lugar a esse empreendimento? A maioria foi forçada a morar no que restava de outros guetos negros; em outras palavras, a aglomeração foi intensificada.

Aqui, começamos a entender as implicações insidiosas e cíclicas do racismo institucional. Proibidos de morar na maioria das habitações, os negros são obrigados a viver em bairros segregados e, com isso, vem a escolarização segregada de fato, o que significa uma educação deficiente, que por sua vez leva a empregos mal remunerados.

É impossível falar sobre os problemas da educação na comunidade negra sem em algum momento tratar da questão da dessegregação e integração, especialmente desde a decisão da Suprema Corte de 17 de maio de 1954: "[...] No campo da educação pública, a doutrina do separado, mas igual, não tem lugar. Unidades de ensino segregadas são naturalmente diferentes". No entanto, toda a discussão sobre integração e realocação hoje em dia parece altamente irrelevante; ela permite que muitos gestores de escolas falem por aí, sejam bem remunerados e nunca lidem com o problema. Por exemplo, em Washington, D.C., as escolas foram supostamente integradas imediatamente após a decisão de 1954, mas como resultado dos movimentos populacionais de brancos para as vizinhanças mais afastadas, e de negros para o centro (gueto) da cidade, crianças negras frequentam o que na verdade são escolas segregadas. Hoje, cerca de 85% das crianças e adolescentes das escolas públicas de Washington, D.C. são negros. A integração também não é muito relevante ou significativa em nenhuma das outras grandes áreas urbanas. Em Chicago, 87% dos alunos negros do ensino fundamental frequentam escolas públicas quase completamente negras. Em Detroit, 45% dos alunos negros estão em escolas públicas que são predominantemente negras. Na Filadélfia, trinta e oito escolas de ensino fundamental têm uma matrícula de 99% de alunos negros. Em abril de 1967, o reverendo Henry Nichols, vice-presidente do Conselho Escolar da Filadélfia, declarou na televisão que a cidade possuía dois sistemas escolares separados: um para o gueto e outro para o resto da cidade. Não houve negação pública sobre essa informação de nenhuma outra fonte de conhecimento da cidade. Em Los Angeles, quarenta e três escolas de ensino fundamental têm pelo menos 85% de alunos negros. Em Manhattan, Nova York, 77% dos alunos do ensino fundamental e 72% dos alunos do ensino médio são negros (KAHN, 1964, pp. 31-32).

Nitidamente, a "integração" — mesmo que resolvesse o problema educacional — não se mostrou viável. A alternativa apresentada é geralmente a transferência em larga escala de crianças negras para escolas em bairros brancos. Isso também levanta vários problemas, já mencionados no capítulo II. A ideia de que quanto mais próximo da brancura, melhor você será está implícita. Outro problema é que isso torna a maioria dos jovens negros dispensáveis. Provavelmente, o número máximo de alunos negros que poderiam ser transferidos das escolas do gueto para as escolas brancas, dadas as condições de superlotação das escolas do centro mais humilde, é de cerca de 20%. Os 80% deixados para trás são, portanto, dispensáveis.

A necessidade real no momento não é a integração, mas a educação de qualidade.

No Central Harlem, por exemplo, existem vinte escolas de ensino fundamental I, quatro escolas de ensino fundamental II e nenhuma escola de ensino médio. Um total de 31.469 alunos — praticamente todos negros — frequentam essas escolas. Em Nova York como um todo, apenas 50,3% dos professores das escolas de ensino fundamental negras e porto-riquenhas tinham qualificação adequada, em comparação com 78,2% nas escolas brancas (KAHN, 1964, p. 32).

Em 1960, no Central Harlem, 21,6% dos alunos da terceira série liam acima do nível da série e 30% liam abaixo. Quando chegaram na sexta série, 11,7% estavam lendo acima e 80% estavam lendo abaixo do nível da série. A média das notas para compreensão de leitura do Central Harlem, na terceira série, estava um ano atrás da média da cidade e da norma nacional, e na sexta série estava dois anos atrás. O mesmo se aplica ao conhecimento de palavras. Em aritmética, os alunos do Central Harlem estão um ano e meio atrás do resto da cidade na sexta série e, quando estão na oitava série, estão dois anos atrás. As pontuações do Q.I. são 90,6 na terceira série e, na sexta série, desceram para 86,3 (YOUTH, 1964, pp. 166-180).

A história básica da educação no Central Harlem surge como uma história de ineficiência, inferioridade e deterioração em massa. É um sistema que tipifica o colonialismo e a atitude do colonizador. O Harlem não é o único. O reverendo Henry Nichols, vice-presidente do Conselho Escolar da Filadélfia, declarou em 1967 que 75% das crianças negras que se formariam naquele ano eram "analfabetos funcionais. [...] A razão para isso", acrescentou, "é a atitude dos gestores escolares em relação aos negros". (NICHOLS, 1967, p. 23).

Não pode haver dúvidas de que, no mundo de hoje, uma educação abrangente e completa é uma necessidade absoluta. No entanto, é óbvio a partir dos dados que nem mesmo uma educação mínima está sendo oferecida na maioria das escolas do gueto. Os brancos, tomadores de decisões, têm administrado essas escolas com injustiça, indiferença e inadequação por muito tempo; o resultado tem sido crianças negras educacionalmente deficientes, entregues ao mercado de trabalho prontas para fazer pouco mais do que ficar em filas de assistência social para receber seu miserável auxílio.

Não deve ser difícil entender por que aproximadamente 41% dos alunos que entram no ensino médio vindos do Central Harlem desistem antes de receber um diploma, sendo 52% deles meninos. Quando se junta as condições escolares às habitações superlotadas e deterioradas em que os alunos negros devem viver e estudar, fatores adicionais se tornam evidentes. Os homens, em particular, devem abandonar a escola por causa da pressão financeira. O jovem que abandonou a escola ou mesmo aquele que terminou o ensino médio com uma educação inadequada, sobrecarregado também pelas privações emocionais que são as consequências da pobreza, está agora na rua em busca de um emprego.

O relatório do HARYOU afirma nitidamente:

> Que a situação de desemprego entre os jovens negros no Central Harlem é explosiva pode ser facilmente visto no fato de que o dobro dos jovens negros na força de trabalho, em comparação com seus colegas brancos, estava sem emprego em 1960. Para as meninas, a disparidade era ainda maior: quase duas vezes e meia a taxa de desemprego das meninas brancas na força de trabalho. Sem dúvida, essa situação piorou desde 1960, tendo

em vista o relatório do Departamento do Trabalho do Estado de Nova York indicando que a procura de emprego era geralmente mais difícil em 1963 do que no ano anterior. Além disso, é geralmente admitido que as estatísticas oficiais sobre desemprego são consideravelmente subestimadas para os jovens negros, uma vez que apenas as pessoas que procuraram trabalho ativamente nos últimos sessenta dias são incluídas no censo [...] tal situação se acumulando, isso é, a massa de jovens negros desempregados e frustrados crescendo, é pura dinamite social. Estamos diante de um fenômeno que pode ser comparado ao empilhamento de material inflamável em um edifício vazio num quarteirão qualquer da cidade. (YOUTH, 1964, pp. 246-247)

A luta por emprego teve um efeito drástico na comunidade negra. Ela perpetua a quebra da estrutura familiar negra. Muitos homens que não conseguem encontrar emprego deixam seus lares para que suas esposas possam se qualificar para o programa Ajuda aos Filhos Dependentes ou assistência social. As crianças que crescem em situação de assistência social muitas vezes deixam a escola por falta de incentivo ou porque não têm comida ou roupas suficientes para vestir. Por sua vez, elas saem em busca de emprego, mas só encontram uma situação mais negativa do que a que seus pais enfrentaram. Assim, se entregam à criminalidade mesquinha, ao tráfico de drogas, à prostituição (se possível, alistando-se no Exército), e o ciclo continua.

Não abordamos a questão da saúde e da assistência médica no gueto. Whitney Young documentou exaustivamente as condições em *To Be Equal*; o padrão é previsivelmente sombrio. A taxa de mortalidade infantil negra em 1960 excedeu em 66% a da população total; a taxa de mortalidade materna das mulheres negras foi quatro vezes maior do que a das brancas em 1960; a expectativa de vida para não brancos foi seis anos menor do que a dos brancos; aproximadamente 30% a mais de pessoas brancas têm seguro-saúde comparando com os negros; apenas 2% dos médicos do país são negros, o que significa que em áreas segregadas se encontram situações como a do Mississippi, com uma proporção de um médico para 18.500 residentes negros! Aqueles de nós que sobrevivem devem ser realmente duros na queda.

• • •

Essas são as condições que criam dinamite nos guetos. E quando há explosões — explosões de frustração, desespero e desesperança —, a sociedade em geral fica indignada e profere clichês irrelevantes sobre a manutenção da lei e da ordem. Comitês de "especialistas" e "consultores" são nomeados para investigar as "causas do protesto". Em seguida, gastam centenas de milhares de dólares na preparação de relatórios com "autoridade". Alguma quantia simbólica em dinheiro deve ser prometida e então todos ou oram para que a chuva venha esfriar os ânimos ou para que o outono chegue logo.

Este país, com seu racismo institucional difundido, criou ele mesmo condições socialmente indesejáveis; e apenas perpetua essas condições ao colocar a culpa nas pessoas que, mediante os meios à sua disposição, procuram acabar com tais condições. O que precisa ser entendido é que até o momento não houve praticamente nenhum programa *legítimo* para lidar com a alienação e as condições opressoras nos guetos. Em 9 de abril de 1967, poucos dias depois que o prefeito Daley conquistou uma vitória esmagadora e sem precedentes no quarto mandato (recebendo, aliás, aproximadamente 85% dos votos negros de Chicago), o *The New York Times* publicou um editorial: "Como outros prefeitos de grandes cidades, o sr. Daley não tem planos de longo prazo para lidar com o deslocamento social causado pelo crescimento constante da população negra. Ele tenta gerenciar os efeitos desse deslocamento e espera o melhor".

Aqui está o fósforo que continuará a acender a dinamite nos guetos: a inaptidão dos tomadores de decisão, as instituições anacrônicas, a incapacidade de pensar com ousadia e, sobretudo, a falta de vontade de inovar. Os planos improvisados elaborados a cada verão pelas administrações municipais para evitar rebeliões nos guetos estão apenas ganhando tempo. Os Estados Unidos e sua sociedade branca podem continuar a se apropriar de milhões de dólares para tirar adolescentes do gueto das ruas e levá-los para fazendas verdinhas e agradáveis durante os meses quentes de verão. Podem continuar a fornecer piscinas móveis e áreas de lazer apressadamente construídas, mas há um ponto além do qual os guetos fumegantes não serão resfriados. É ridículo para a sociedade acreditar que essas medidas temporárias podem conter por muito tempo os ânimos de um povo oprimido. E quando a dinamite explodir, os pronunciamentos piedosos por paciência não devem ser feitos. A culpa não deve ser atribuída a "agitadores externos" ou à "influência comunista" ou aos defensores do Poder Negro. Essa dinamite foi colocada lá pelo racismo branco e foi acesa pela indiferença racista branca e pela falta de vontade de agir com justiça.

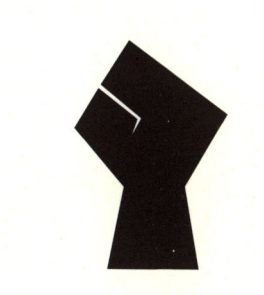

a busca por novas formas

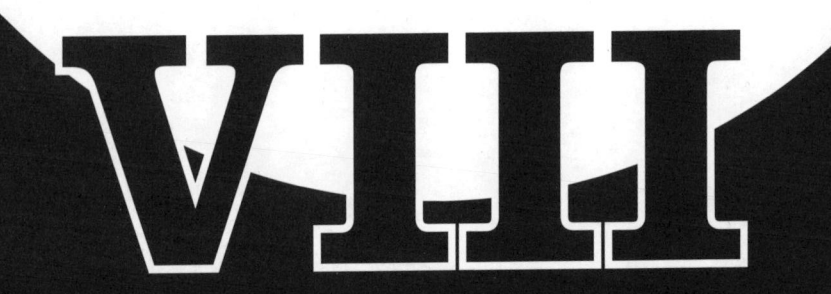

VIII

Estamos cientes de que se tornou comum apontar e descrever as mazelas de nossos guetos urbanos. Os problemas sociais, políticos e econômicos são tão agudos que mesmo um observador casual não pode deixar de ver que algo está errado. Embora a descrição seja ampla, ainda há uma timidez gritante sobre o que fazer para resolver os problemas.

Nem promessas vazias nem relatórios dispendiosos ou medidas provisórias solucionarão a situação explosiva nos guetos da nação. Este país não pode começar a resolver os problemas dos guetos enquanto continua agarrado a estruturas e instituições ultrapassadas. Um sistema de partidos políticos que procura apenas "administrar conflitos" e esperar pelo melhor é inútil para um número crescente de negros excluídos. Um sistema educacional que, ano após ano, continua aleijando centenas de milhares de crianças negras deve ser substituído por mecanismos de controle e gestão totalmente novos. Devemos começar a pensar e operar a partir de formas de expressão inteiramente novas e substancialmente diferentes.

É absolutamente evidente que a iniciativa para tais mudanças terá que vir da comunidade negra. A menos que e até que o povo negro estadunidense comece a se mover, não podemos esperar que a parcela branca deste país se movimente de forma significativa para solucionar esses problemas. Isso significa que os negros devem se organizar sem considerar o que é tradicionalmente aceitável, exatamente porque as abordagens tradicionais falharam. Significa que os negros devem fazer exigências sem considerar a "aceitação" inicial delas, precisamente porque exigências "aceitáveis" não têm sido suficientes.

Os guetos urbanos do Norte são, em muitos aspectos, diferentes dos guetos do cinturão negro do Sul, mas em nenhuma das áreas ocorrerão mudanças substanciais até que o povo negro se organize de forma independente para exercer o poder. Como observado em capítulos anteriores, os negros já têm o potencial de voto para controlar a política de condados inteiros do Sul. Considerando o registro total de negros, existem mais de cento e dez condados onde poderiam votar contra os brancos racistas. Essas pessoas deveriam se concentrar em formar partidos políticos independentes e não perder tempo tentando reformar ou converter os partidos racistas. No Norte, não é menos importante que grupos independentes sejam formados. Já foi nitidamente demonstrado que quando os negros tentam entrar em um dos dois maiores partidos das cidades, são cooptados e seus interesses são desviados para o segundo plano. Eles se tornam dispensáveis.

Devemos começar a pensar na comunidade negra como uma base de organização para controlar as instituições dessa comunidade. O controle das escolas do gueto deve ser tirado das mãos dos "profissionais", a maioria dos quais há muito demonstrou sua insensibilidade às necessidades e aos problemas da criança negra. Esses "especialistas" trazem consigo preconceitos de classe média, técnicas e diretrizes inadequadas; estas são, na melhor das hipóteses, disfuncionais e, na pior das hipóteses, destrutivas. Um estudo recente das escolas de Nova York revela que o sistema escolar nova-iorquino é administrado por trinta pessoas — supervisores escolares, superintendentes adjuntos, superintendentes assistentes e examinadores. O estudo concluiu que "a política de educação pública tornou-se a província do burocrata profissional, tendo como trágico resultado: o status quo, onde enfrentar toda sorte de dificuldades é a ordem do dia" (GITTELL, 1967). Praticamente nenhuma atenção é dada aos desejos e exigências dos pais, especialmente dos pais negros. Isso é totalmente inaceitável.

Os pais negros devem ter como objetivo o controle efetivo das escolas públicas em sua comunidade: contratação e demissão de professores, seleção de materiais didáticos, determinação de diretrizes etc. Isso pode ser feito com um comitê de professores. Os métodos tradicionais e irrelevantes que só ensinam bobagens devem ser abolidos. Os diretores e o maior número possível de professores das escolas do gueto devem ser negros. As crianças poderão ver seus pares em posições de liderança e autoridade. Nunca deve ocorrer a ninguém que uma escola novinha em folha possa ser construída no coração da comunidade negra e depois ser dada a uma pessoa branca para dirigi-la. O fato é que, nos dias de hoje, é crucial que a raça seja levada em consideração na determinação de políticas desse tipo. Algumas pessoas, mais uma vez, verão isso como "segregação reversa" ou como "racismo". Mas não é. É enfatizar a raça de forma positiva: não para subordinar ou governar os outros, mas para superar os efeitos de séculos em que a raça tem sido usada em detrimento do homem negro.

A história da Intermediate School (I.S.) 201 [Escola Intermediária 201] em Nova York é um bom exemplo. Em 1958, o Conselho de Educação da cidade anunciou que iria construir uma escola especial de cinco milhões de dólares no Distrito 4, cujos alunos são 90% negros, 8% porto-riquenhos e os 2% restantes brancos. A ideia era que os alunos das escolas de ensino fundamental I desse distrito ingressariam na nova escola na quinta série e, após a oitava série, passariam para o ensino médio. Essa ideia, pelo menos de acordo com a política oficial, deveria acelerar a integração.

Os pais das crianças que poderiam frequentar a escola se mobilizaram na tentativa de, de uma vez por todas, ter uma escola adequada às necessidades do Harlem. O Conselho já havia escolhido o local para a I.S. 201: entre a 127ª e 128ª ruas, da Madison Avenue à Park Avenue, no coração do Central Harlem. Os pais argumentaram contra o local, porque queriam uma escola integrada, o que seria impossível a menos que fosse localizada na fronteira, não no centro, do Harlem. O desejo deles aponta nitidamente a relação colonial dos negros e brancos na cidade; eles sabiam que a única maneira de obter uma educação de qualidade era ter alunos brancos na escola.

O Conselho de Educação alegou que a escola seria integrada, mas os pais sabiam que isso não aconteceria e se manifestaram contra o local escolhido durante a construção da escola. Quando descobriram que a escola não teria janelas, também questionaram se era apenas uma inovação prática ou estilística, ou um meio de esconder a realidade da comunidade dos alunos durante as horas em que estivessem na escola.

Durante a primavera e o verão de 1966, cerca de seiscentos alunos foram matriculados na escola, todos eles negros ou porto-riquenhos. Seus pais então ameaçaram que se a escola não fosse integrada até o outono, eles a boicotariam. O Conselho de Educação, cedendo aos pais da boca para fora, distribuiu dez mil folhetos para a comunidade branca — em junho!

Não é necessário dizer que poucas pessoas se matriculam em uma escola com base num folheto recebido ao sair do metrô ou em qualquer outro lugar, e ainda menos pessoas (brancas) querem mandar seus filhos à uma escola no Harlem. O pedido de "voluntários" não teve efeito e, em 7 de setembro, o Conselho de Educação finalmente admitiu sua "aparente incapacidade de integrar a escola". Foi a incapacidade daquela classe descrita no capítulo VII, "cujo interesse principal é garantir mais objetos para o serviço, gerenciamento e controle", sendo os objetos, neste caso, as mães da escola. Ameaçada por um boicote, a escola não foi inaugurada como previsto em 12 de setembro de 1966.

Naquele momento, os pais — que estavam protestando — se mobilizaram da única maneira que podiam: exigindo algum tipo de controle que lhes permitisse romper com o velho padrão colonial. Considerando o fato de que os brancos não enviariam seus filhos à escola, um dos pais declarou: "Decidimos que teríamos que ter voz para garantir uma educação de qualidade no estilo segregado. Nós queremos garantias". Os pais sabiam que em poucos anos, dado esse padrão, a nova escola seria como todas as outras que começaram com boas instalações e se deterioraram sob uma burocracia indiferente. Assim, as exigências dos pais mudaram da integração para o controle.

Em 16 de setembro, o superintendente Bernard E. Donovan ofereceu-lhes direito de participação na seleção e recomendação de candidatos para cargos de supervisão e ensino na escola. Um conselho comunitário do Harlem seria estabelecido com participação relevante nos assuntos escolares. Os pais também queriam algum controle sobre o currículo, o sistema de orientação profissional e assuntos financeiros, o que o Conselho considerava legalmente impossível. Pouco tempo depois, o diretor branco — Stanley Lisser — solicitou transferência voluntariamente. Um diretor negro havia sido uma das principais exigências dos pais. Com esses dois desenvolvimentos, os pais anunciaram que enviariam seus filhos à escola.

Em 19 de setembro, entretanto, a Federação Unida de Professores vetou os acordos feitos até então. Os professores da escola ameaçaram boicotar se Lisser não ficasse. Dentro de vinte e quatro horas, o Conselho havia voltado atrás no acordo e reconduzido Lisser para o cargo de diretor. (Muitos argumentam que isso foi o resultado de um conluio planejado entre o Conselho e a Federação Unida de Professores.) Nove dias depois, a escola foi aberta. Os pais se dividiram; alguns de bom grado começaram a mandar seus filhos à escola, enquanto outros fizeram o mesmo, porque não sabiam que o acordo havia sido desfeito.

O comitê de negociação dos pais tinha se mobilizado para obter ajuda externa, enquanto os principais gestores da cidade, incluindo o prefeito John Lindsay, entraram em cena. Um comitê do Harlem representando pais e líderes comunitários propôs em 29 de setembro que a escola fosse colocada sob um "Conselho operacional" especial composto por quatro pais e quatro educadores universitários e outro membro selecionado por esses oito. Este conselho se encarregaria da seleção de professores e supervisores, e avaliaria o currículo da Intermediate School 201, bem como de três escolas de ensino fundamental I. Mas a Federação Unida de Professores atacou essa proposta. Com o desenrolar do conflito, tornou-se evidente que mais uma vez os esforços da comunidade para lidar com seus problemas haviam sido em vão.

Mais tarde, em outubro, o Conselho de Educação fez uma proposta aos pais do tipo "pegar ou largar". Propôs um conselho de pais e professores que seria puramente consultivo. Os pais rejeitaram categoricamente a proposta. Padre Vincent Resta, um padre católico e presidente do conselho escolar local que abrangia a região da I.S. 201, declarou: "Em teoria, a proposta do Conselho é algo que poderia funcionar. Mas um papel consultivo implica confiança. E esta comunidade não tem absolutamente nenhuma razão para confiar no Conselho de Educação". O conselho local demitiu-se em massa depois.

De qualquer maneira, a questão do controle comunitário não terminou aí. Ficou nítido para os pais que seus problemas não estavam restritos ao Distrito Escolar 4. Quando o Conselho de Educação se reuniu para discutir sua proposta de orçamento em dezembro de 1966, os pais da escola e outras pessoas protestaram contra a alocação dos recursos. Incapazes de obter qualquer resposta, ao final de uma sessão, eles simplesmente ocuparam as cadeiras reservadas para os presidentes dessas reuniões e elegeram um Conselho Popular de Educação. Após quarenta e oito horas, foram presos e removidos, mas continuaram a se reunir em outro local, com o reverendo Milton A. Galamison — que já havia liderado boicotes escolares anteriormente em Nova York — como presidente.

Em uma de suas sessões executivas, em 8 de janeiro de 1967, o Conselho Popular adotou uma moção que declarava seus objetivos como:

1) Procurar alterar a estrutura do sistema escolar [...] de modo a torná-lo responsável pelas necessidades individuais de nossa comunidade, a fim de alcançar um verdadeiro controle comunitário. Isso pode exigir uma alteração nas leis ou na Constituição estadual. Significa, naturalmente, descentralização, responsabilidade, participação significativa dos cidadãos etc.

2) Desenvolver um programa que obtenha a conscientização, compreensão e apoio das bases para o objetivo acima mencionado. Sugere-se dar prioridade máxima à organização e à educação de pais e cidadãos nas áreas pobres (aproximadamente catorze).

3) Que reconheçamos que o poder não deve estar em nenhum conselho central, incluindo o nosso, e que por todos os meios possíveis devemos encorajar o desenvolvimento e a criação de grupos locais populares.

Os pais da Intermediate School 201 falharam, porque ainda não têm poder, ainda são impotentes. Mas conseguiram levar a situação a ponto de a sociedade dominante ter que fazer certas escolhas. É evidente que as pessoas negras se preocupam com o tipo de educação que seus filhos recebem; muito mais pessoas podem ser motivadas a fazer algo por meio da demonstração da capacidade de alcançar resultados. Um resultado já foi alcançado pela luta da escola: o conceito de controle comunitário agora se enraizou na consciência de muitos negros. Tal controle tem sido aceito há muito tempo em comunidades menores, particularmente em vizinhanças brancas. Não se trata mais apenas de "assuntos de pessoas brancas". Em última análise, as escolas controladas pela comunidade poderiam organizar um conselho escolar independente (como o "Conselho Popular de Educação") para toda a comunidade negra. Tal inovação permitiria aos pais e à escola desenvolver um relacionamento muito mais próximo e começar a atacar os problemas do gueto de forma comunitária e realista.

Os cortiços do gueto representam outro alvo de alta prioridade. Os inquilinos de edifícios deveriam formar organizações coesas — associações — para agir no interesse comum em relação aos proprietários ausentes. Obviamente, os aluguéis deveriam ser retidos se os proprietários não fornecessem serviços adequados e instalações decentes. Mas, mais importante, a comunidade negra deveria estabelecer como objetivo principal a política de que o proprietário terá seus direitos confiscados se não fizer os reparos necessários: assim, os direitos do proprietário confiscados seriam entregues à organização negra, que não apenas administraria a propriedade, mas a possuiria imediatamente. O proprietário ausente está perpetuando uma condição socialmente prejudicial e não deveria ser autorizado a se esconder atrás da rubrica dos direitos de propriedade. A comunidade negra deve insistir que o objetivo dos direitos humanos tenha precedência sobre os direitos de propriedade, e respaldar essa insistência de modo a fazer com que seja do interesse próprio da sociedade branca agir moralmente. Qualquer comportamento

— neste caso, o mau uso da propriedade — pode ser regulado em qualquer extensão que a estrutura de poder desejar. Ninguém deve ser ingênuo a ponto de pensar que um proprietário desistirá facilmente de sua propriedade, mas a comunidade negra, devidamente organizada e mobilizada, poderia exercer uma pressão que o levaria a uma escolha entre as alternativas de confisco ou obediência. Milhares de negros que se recusam a pagar aluguéis mês após mês nos guetos poderiam ter mais do que um efeito salutar nas políticas públicas.

•••

Conforme apontado no capítulo I, praticamente todo o dinheiro ganho pelos comerciantes e exploradores do gueto negro deixa essas comunidades. Os grupos negros devidamente organizados deveriam procurar estabelecer um plano de bônus comunitário. Os negros de uma determinada comunidade se organizariam e se recusariam a fazer negócios com qualquer comerciante que não concordasse em "reinvestir", digamos, de 40% a 50% de seu lucro líquido na comunidade. Essa contribuição poderia assumir muitas formas: proporcionar empregos adicionais para pessoas negras, doar fundos para bolsas de estudo para estudantes, apoiar certos tipos de organizações comunitárias. Um acordo seria alcançado entre os comerciantes e os consumidores negros. Se um comerciante deseja clientes de uma comunidade negra, ele deve entender que tem que contribuir para essa comunidade. Se optar por não o fazer, seu estabelecimento não será frequentado por ninguém, e o resultado será nenhum lucro na comunidade. Os contratantes que buscam fazer negócios na comunidade negra também seriam levados a entender que enfrentarão um boicote se não fizerem doações para tal comunidade.

Tal plano comunitário exigirá cuidadosa organização e disciplina rigorosa por parte do povo negro. Mas é possível, e na verdade já foi posto em prática por algumas comunidades étnicas. A sociedade branca percebe o potencial de mercado na comunidade negra; a sociedade negra deve começar a perceber o potencial desse mercado também.

•••

Sob os atuais arranjos institucionais, ninguém deveria pensar que a mera eleição de alguns poucos negros para um escritório local ou nacional resolverá o problema da representação política. Há dez negros na Câmara Municipal de Chicago atualmente, mas não há mais de dois ou três (de um total de cinquenta) que serão contundentes ao falar sobre questões raciais. O fato é que as instituições políticas atuais não têm como objetivo dar voz efetiva à minoria negra. Duas necessidades surgem a partir disto.

Primeiro, é importante que as comunidades negras desses guetos do Norte formem grupos partidários independentes para eleger seus pares e obter cargos quando e onde puderem. Não se deve presumir que "não se pode vencer a Prefeitura". Isso foi feito, como evidenciado pelas eleições para vereador de 1967 em uma das cidades com a máquina política mais competitiva do país: Chicago. Um candidato negro independente, Sammy Rayner, derrotou um vereador negro que tentava a reeleição com apoio do establishment. Rayner concorreu pela primeira vez em 1963 e perdeu por apenas 177 votos. Então, desafiou o congressista William L. Dawson em 1964. Ele perdeu novamente, mas estava construindo uma imagem na comunidade negra como alguém que poderia e iria falar abertamente sobre o que acreditava. O povo negro estava entendendo a mensagem. Em 1967, quando concorreu para a Câmara Municipal contra o representante do grupo que costumava comandar a política da região, ganhou com facilidade. Zonas eleitorais na área de East Woodlawn, nas quais ele não havia conseguido vencer em 1963, conseguiu vencer dessa vez. A diferença foi a campanha contínua, dura, diária, de porta em porta. Seu gerente de campanha, Philip Smith, declarou:

Outra chave para a vitória de Sammy foi o fato de ele ter percorrido e frequentado sistematicamente a comunidade. Participar das reuniões do clube negro, das reuniões de jovens e de todas as atividades que eram caras aos corações dos membros da comunidade tornou-se a ordem do dia. (SMITH, 1967)

Os cínicos dirão que Rayner será apenas uma voz, incapaz de realizar qualquer coisa, a menos que se prenda à máquina política de Daley. Sejamos límpidos: não endossamos Rayner nem somos cegos para os problemas que ele enfrenta. O trabalho da máquina é esmagar tais homens ou cooptá-los antes que cresçam em número e poder. Ao mesmo tempo, homens como Rayner são úteis apenas na medida em que atendem às amplas necessidades da comunidade; como dissemos no capítulo II, a visibilidade negra não é o Poder Negro. Se Rayner não permanecer fiel a seus constituintes, eles devem destituí-lo de forma tão nítida quanto fizeram com seu antecessor. Isso estabelece o princípio de que o político negro deve primeiro responder aos seus constituintes, não à máquina branca. O problema então é resistir às forças que esmagariam ou cooptariam o mandato enquanto constroem a força da comunidade para que mais desses homens possam ser eleitos e compelidos a agir no interesse da comunidade.

(Deve-se notar que Rayner é um dos numerosos líderes negros que rejeitaram o termo Poder Negro, embora suas próprias declarações, atitudes e programas sugiram que endossa o que queremos dizer com Poder Negro. A razão para isso, de modo geral, é o medo de ofender os poderes já constituídos — é uma "tática" que mais uma vez exemplifica a necessidade de elevar o nível de consciência, de criar uma nova consciência entre os negros.)

O mínimo que Sammy Rayner pode dar à comunidade negra é uma nova dignidade política. Sua vitória vai começar a estabelecer o *hábito* de dizer "não" aos patrões do centro. Da mesma forma que o negro sulista teve que se afirmar e dizer "não" àqueles que não queriam que ele se registrasse para votar, agora o eleitor negro do Norte deve começar a desafiar aqueles que controlariam seu voto. Esse mesmo ato de desafio ameaça o status quo, porque o seu resultado é imprevisível. Esses eleitores negros, então *acostumados* a agir de forma independente, poderiam eventualmente direcionar seus votos para um lado ou para o outro — mas sempre em *seu* benefício. Smith sinalizou isso quando disse:

> Os incrédulos que sentiam que não se podia vencer cargos para a Prefeitura estão agora assobiando uma melodia diferente. A vitória de Sammy Rayner deveria servir como um farol para todos os que acreditam na política independente nesta cidade. [...] Rayner será responsável pelo cargo de vereador assumindo uma nova linha de dignidade. Os negros serão capazes de apontar com orgulho para este homem, que acredita firmemente que precisamos de uma liderança semelhante à de um estadista em vez do serviçal ao qual fomos expostos. (SMITH, 1967)

Que ninguém alegue que esse tipo de política é ingênua ou infantil ou não entende as "regras do jogo". O preço de ir com os "regulares" é muito alto para pagar levando em conta os benefícios recebidos. As recompensas da independência podem ser consideráveis. É muito cedo para dizer exatamente onde este novo espírito de independência pode nos levar. Novas formas podem levar a uma nova força política. Esperamos que essa força possa se mobilizar para criar novos partidos políticos nacionais e locais — ou, mais precisamente, os primeiros partidos políticos *legítimos*. Alguns falaram de um "terceiro partido" ou "terceira força política", mas do ponto de vista das necessidades comuns e da participação popular, nenhuma força ou partido existente neste país jamais foi relevante. Uma força que é relevante seria, portanto, uma novidade de primeira ordem.

A segunda implicação do dilema político enfrentado pelos negros é que, em última análise, podem ter que liderar um esforço para renovar completamente as atuais instituições de representação. Se os Rayners forem continuamente derrotados, se as reivindicações da comunidade negra continuarem a ser ignoradas, então será necessário conceber formas totalmente novas de representação política local. Não há nada de sagrado no sistema de eleição de candidatos para servir como vereadores, deputados etc., por zonas ou distritos. A representação geográfica não é inerentemente correta. Talvez os interesses políticos tenham que ser representados de alguma maneira completamente diferente — como o controle das escolas pelos pais da comunidade, como as associações de inquilinos, como os sindicatos de beneficiários de programas sociais que realmente assumem um papel oficial na administração dos departamentos dos programas do governo. Se as instituições políticas não atenderem às necessidades do povo, se o povo finalmente acreditar que essas instituições não expressam seus próprios valores, então essas instituições devem ser descartadas. É um desperdício e é ineficiente, para não mencionar injusto, continuar impondo antigas formas e maneiras de fazer as coisas a um povo que não vê mais essas formas e maneiras como funcionais.

Vemos a política independente (à maneira da candidatura Rayner) como o primeiro passo para a implementação de algo novo. Votar ano após ano no partido tradicional e seus representantes silentes não leva a comunidade negra a lugar nenhum; os eleitores podem eleger seus próprios candidatos, mas estes podem ficar frustrados com o poder e a organização das máquinas políticas. O próximo passo lógico é exigir estruturas, formas e maneiras mais significativas de lidar com problemas antigos.

•••

Vemos isso como o poder potencial dos guetos. Em um sentido real, é semelhante ao que está ocorrendo no Sul: o movimento na direção de uma política independente — e a partir daí, o movimento em direção ao desenvolvimento de instituições políticas totalmente novas. Se essas propostas também soam pouco práticas e utópicas, então perguntamos: que outras alternativas reais existem? Não existem; a escolha está entre uma abordagem genuinamente nova e a manutenção da vida brutalizante, destrutiva e violenta dos guetos como se vive hoje. Do ponto de vista do povo negro, isso nem mesmo é uma escolha.

posfácio

cuidando dos nossos assuntos

Ao se falar das fantásticas mudanças ocorridas na África, na Ásia ou nas comunidades negras dos Estados Unidos, é necessário perceber que o atual e turbulento período da história é caracterizado pelas exigências dos povos antes oprimidos de se libertarem da opressão. Essas demandas não serão silenciadas por armas ou conversa mole; essas demandas têm uma lógica própria — uma lógica frequentemente mal compreendida pelos opressores. Essas demandas são parte do processo de modernização em curso. Descrevemos os aspectos essencialmente políticos desse processo entre os negros nos Estados Unidos; vemos a política independente como um veículo crucial para a nossa libertação. Mas, em nenhum momento, esse desenvolvimento deve ser visto isoladamente de demandas similares ouvidas ao redor do mundo.

Os povos negros e de cor dizem em alto e bom som que pretendem determinar por si mesmos os tipos de sistemas políticos, sociais e econômicos sob os quais viverão. Isso significa, necessariamente, que os sistemas existentes do grupo dominante e opressor — todo o espectro de valores, crenças, tradições e instituições — terão que ser contestados e mudados. Não é de se esperar que este escrutínio fundamental seja conduzido por aqueles que se beneficiam ou até mesmo que têm expectativas de se beneficiar do status quo.

Neste país, portanto, antecipamos que os negros oprimidos são o grupo mais legítimo e o mais provável para colocar o sistema à prova, para levantar as questões difíceis. O professor Kenneth B. Clark escreveu:

> [...] é possível para um psicólogo social negro estadunidense compreender certos aspectos da cultura dos EUA e da psicologia dos brancos estadunidenses com um pouco mais de nitidez do que geralmente é possível para os brancos que são aceitos e completamente identificados com esta cultura. [...] É possível [...] que um negro que foi treinado na disciplina das Ciências Sociais possa ser menos influenciado por certas distorções subjetivas que operam na cultura estadunidense

ou que ele possa trazer uma visão que contrabalanceia certas distorções. O negro nos Estados Unidos, em virtude dos padrões difundidos de rejeição racial e exclusão, ou em virtude de uma aceitação simbólica e muitas vezes autoconsciente por uma minoria de liberais brancos, foi forçado a um grau de alienação e distanciamento que resultou em um padrão de consequências sociais e na personalidade. Entre essas consequências estão percepções aguçadas e maior sensibilidade a algumas das forças sutis que são significativas em nossa complexa estrutura social. (CLARK, 1965)

A vítima da contínua opressão social traz à situação um conjunto totalmente diferente de pontos de vista sobre o que é legítimo para a mudança. A vítima está mais disposta — muito mais disposta — a arriscar o futuro, pois tem muito pouco a perder e muito a ganhar. Obviamente, isso cria tensões tremendas, já que as exigências de um novo grupo se chocam contra a resistência de um grupo antigo. O grupo antigo, o estabelecido, o seguro, prefere mudanças pacíficas, lentas e moderadas. Frequentemente, é óbvio, prefere que não haja nenhuma mudança. Mas, se a mudança vier, então que seja aos poucos, conforme um cronograma determinado pelo grupo antigo. O novo grupo está em formação; tem visões de um novo dia, um rejuvenescimento, uma libertação da pobreza e da opressão. E não recebe com agrado os conselhos de cautela.

Não podemos enfatizar demais esta ideia relativamente simples: que os dois grupos operam a partir de pontos de vista diferentes e conceitos diferentes do que constitui legitimidade.

O grupo antigo admira a estabilidade e a ordem. Exige "esfriamento" das coisas e "ação responsável". Considera que a atividade atual pode levar a consequências imprevistas que podem ser muito piores do que as condições existentes. O novo grupo rejeita isso e está disposto a apostar no futuro; o presente é inaceitável.

A modernização é uma época de dinamismo quando é absolutamente necessário exigir e pressionar por novas formas, novas instituições para resolver problemas antigos. Este apelo, este empurrão requer uma disposição ousada para estar "fora da ordem". A ordem social prevalecente não é capaz de inovar de forma ousada em áreas básicas da vida. A parcela branca dos Estados Unidos é rica, forte, capaz de grandes projetos para conquistar espaço e outros feitos científicos, mas está terrivelmente subdesenvolvida em suas relações humanas e políticas. Nessas áreas, ela é primitiva e retrógrada. Os defensores do Poder Negro servem para elucidar essa situação, para ressaltar que a tecnologia avançada e um Produto Nacional Bruto crescente não são os únicos, nem mesmo os mais importantes, índices de civilização. Os defensores do Poder Negro ajudam a modernizar perfurando as velhas teorias, as velhas abordagens, os clichês ultrapassados. Nossa função é enfatizar a modernização, não a moderação.

Neste momento, estamos reivindicando novas formas políticas que serão o elo entre a participação ampliada (ocorrendo agora) e o governo legítimo. Essas formas fornecerão um meio pelo qual um povo recentemente politizado poderá obter o que precisa do governo. Não basta acrescentar mais e mais pessoas aos cadernos eleitorais e então enviá-las para os velhos partidos políticos comprometidos que não fazem nada. Esses novos eleitores só ficarão frustrados e alienados. Não adianta adotar um programa de combate à pobreza exigindo a "máxima participação possível dos pobres" e depois sobrecarregar esse programa com as velhas restrições burocráticas do governo. O povo verá isso apenas como uma perpetuação da mesma velha situação colonial. Enquanto este país continuar a destinar dinheiro para programas administrados pelos mesmos tipos de pessoas insensíveis, com atitudes paternalistas e anglo-conformistas, os programas continuarão a falhar. E realmente deveriam falhar, uma vez que não têm a confiança das massas. Para ganhar essa confiança, as pessoas devem estar muito mais envolvidas na formulação e implementação das políticas. Pessoas negras estão de fato dizendo: "Senhor Charlie, nós preferimos fazer isso nós mesmos". E ao fazê-lo por si mesmos, desenvolverão o *hábito* da participação, a *consciência* da capacidade de realização e a experiência e a sabedoria de governar. Somente isso pode, em última instância, criar uma política viável. Não basta que prédios escolares novinhos em folha sejam construídos nos guetos, se os negros cujos filhos os frequentam não se identificam com essas escolas. Não haverá aprendizado.

Chegamos a uma etapa de nossa história na qual as antigas abordagens de fazer em nome de um povo não serão mais suficientes. Isso é especialmente verdade quando percebemos que muito do que tem sido feito contribui para o retrocesso, não para o progresso dos destinatários das políticas. Não há melhor exemplo disso do que os programas sociais da nação. Como Mitchell Ginsberg, diretor do Departamento de Programas Sociais de Nova York, disse a um subcomitê do Senado não há muito tempo, o sistema está "falido" como uma instituição social. Afirmando que o sistema atual deve ser "jogado fora" e pedindo uma nova abordagem, declarou: "Enquanto a assistência pública não desempenhar sua função de ajuda de forma a libertar os mais pobres dos pobres, em vez de prendê-los na dependência, ela fracassou como uma arma antipobreza" (GINSBERG, 1967, p. 1).

Obviamente, devemos levantar questões sérias e básicas sobre o papel geral desempenhado pelos fundos federais em relação à luta de libertação negra. Nossa premissa básica é que dinheiro e empregos não são a resposta final aos problemas do povo negro. Sem de forma alguma negar a esmagadora realidade da pobreza, devemos afirmar que o objetivo básico não é o "colonialismo do assistencialismo", como alguns chamaram os programas antipobreza e outros programas federais, mas a inclusão dos negros em todos os níveis de tomada de decisão. Não procuramos ser meros receptores *do* processo de tomada de decisão, mas participantes *nele*.

Em todo caso, o fato é que qualquer programa federal concebido com o povo negro em mente está condenado se pessoas negras não o controlarem. O fato é que o governo nunca "dará" aos negros tudo o que eles precisam economicamente, a menos que eles tenham o poder de ameaçar o suficiente para conseguir o suficiente. As esmolas periódicas nunca conseguem satisfazer nossas necessidades, mesmo que sejam desejáveis. Esperamos que em breve chegue o dia em que os negros rejeitarão os fundos federais, porque entenderam que esses programas são voltados para a pacificação e não para soluções genuínas. Esperamos que o aumento do nível de consciência possa levar à rejeição de tais engodos. Isso parecerá fantástico para muitos leitores, mas devem se lembrar que, uma vez na Índia, Gandhi rejeitou os carregamentos de alimentos de ajuda humanitária da Inglaterra precisamente, porque os via como ferramentas de pacificação.

Ao mesmo tempo, reconhecemos que a experiência com programas federais pode, como a experiência do MFDP com o Partido Democrata descrita no capítulo IV, servir como um treinamento do que vem a ser controle e negociação no funcionamento do sistema estadunidense. Não intencionalmente, o governo educa as pessoas negras, isso é, proporciona a elas uma desilusão no governo e, assim, gera uma nova consciência.

Esse tipo de sofisticação faz parte da consciência negra que consideramos vital para o Poder Negro e para o fim do racismo. Entendemos as regras atuais do jogo e as rejeitamos. Mas antes que a necessidade de novas regras e novas formas possa ser aceita pelos negros, deve ser criada a vontade — a consciência — para essas formas. Um dos desenvolvimentos mais promissores na nação hoje é o novo clima entre os estudantes universitários negros, que há muito tempo formaram um grupo conservador com sonhos como os dos livros de Horatio Alger, imitando a sociedade branca no seu pior.[17] A agitação nos *campi* negros em 1967 foi profunda e diferente daquela de 1960-1961: há, hoje em dia, menos orientação moral e mais orientação política. O apelo humilde desapareceu; desenvolveu-se uma disposição poderosa baseada em uma consciência negra. *O intelectual negro está voltando para casa,* como sugeriu o escritor negro Eldridge Cleaver:

---

17. Nota da editora: eles imaginavam ascender para a vida de classe média por meio de seus méritos.

> Até agora, uma das queixas tradicionais das massas negras tem sido a traição dos intelectuais negros [...] há uma grande diferença entre os negros que estão dispostos a arriscar e se dar mal, dispostos a voltarem ao Sul e todas aquelas gerações cuja ambição era fugir do Sul. Um ciclo foi completado. O verdadeiro trabalho para a libertação dos negros nos Estados Unidos começou. (CLEAVER, 1967)

É difícil, se não for impossível, para a sociedade estadunidense branca, ou para aqueles negros que querem ser como a parcela branca deste país, entender essa mentalidade basicamente revolucionária. Mas, em última análise, a branquidade estadunidense se pouparia de muitos problemas se tentasse entender e aceitar essa nova mentalidade negra. Porque uma coisa é certa: quaisquer que sejam as consequências, há um crescente — crescendo cada vez mais rápido — número de negros determinados a cuidar dos seus assuntos. Eles não serão detidos em seu esforço para alcançar a dignidade, para alcançar sua parcela de poder, para se tornarem senhores e senhoras de si, agora e nesta terra, por todos os meios necessários.

posfácio, 1992

por Kwame Ture

Há um quarto de século, *Black Power: The Politics of Liberation in America* [Black Power: a Política de Libertação nos Estados Unidos] foi publicado. O grande Fidel Castro nos assegura em testamento vivo que somente "a história nos absolverá". Assim, temos vinte e cinco anos de história para julgar as hipóteses deste livro. Não há, atualmente, nenhum esforço humano sem erros. Vinte e cinco anos de luta permitiram que nossas visões vagas e gerais se tornassem mais precisas e específicas e nos deram a oportunidade de corrigir erros anteriores.

Uma grande dose de hostilidade foi dirigida ao livro após sua publicação. Isso foi muito surpreendente. O livro não defende a Revolução. Ele prega reforma. Afirma sua posição e solução anticapitalista com uma visão de sociedade livre de exploração. Todas as ações propostas no livro são totalmente legais. Podemos acrescentar que nenhuma das sugestões do livro foi implementada.

Na dialética, sabemos que tudo contém atributos positivos e negativos. As reformas podem ser usadas para fazer avançar a Revolução ou para impedir a Revolução. A dialética nos informa que quando o negativo domina o positivo na reforma, ela se torna um obstáculo no caminho para a liberdade; então, deve dar lugar à Revolução.

Os autores afirmaram nitidamente na página que precede o prefácio que somente essas reformas poderiam evitar a Revolução. Erramos. As reformas defendidas no livro não *evitarão* a Revolução; ao contrário, ajudarão a *avançar* a Revolução Africana e, consequentemente, a Revolução socialista mundial.

O livro proclama a apresentação de uma ideologia. Podemos dizer hoje que a necessidade de uma ideologia vinda de nossa cultura e na qual o nacionalismo desempenhasse seu papel necessário foi atendida. O livro propôs coesão ideológica por meio da "Consciência Negra". Elementos conscientes da Revolução Africana resolveram esse problema. Hoje, os termos empregados no livro estão nos direcionando para essa coesão; assim, da cidade de Nova York à Azânia/África do Sul, ouvimos falar dos Movimentos de Consciência Negra.

A luta ideológica tem sido conscientemente dominante em algumas Revoluções, especialmente na Revolução Africana. A traição dos princípios do marxismo-leninismo por elementos reacionários em alguns Estados anteriormente reconhecidos como socialistas acelerou a luta ideológica em todo o mundo. A luta ideológica assolou o SNCC. O Partido Revolucionário de Todos os Povos Africanos, fundado por Osagyefo Kwame Nkrumah, oferece o Nkrumahismo-Tureísmo como sua solução ideológica. Assim, enquanto há vinte e cinco anos os autores, preocupados com a ideologia, afirmavam erroneamente apresentar uma, hoje organizações revolucionárias africanas apresentam ideologias vindas da cultura africana às massas do nosso povo!

O livro trata do problema de identidade dos africanos nos Estados Unidos. Atacando o termo, até então popularmente aceito, "*Negro*", sugeria, entre outros, "africano-estadunidense". Essa luta se intensificou. Quando o livro foi escrito, a palavra "*Black*" estava se tornando o termo popularmente aceito. Hoje, os componentes mais conscientes usam "africanos nascidos nos Estados Unidos". Assim, o africano-estadunidense foi um indicador da direção política futura.

No capítulo III, nós dizemos: "Se não aprendermos com a história, estamos condenados a repeti-la". Devemos afirmar com precisão que o que repetimos não é história, mas nossos erros sob condições materiais em constante mudança. A história não se repete; ela não pode. Nada pode. A primeira lei do universo é que tudo muda, o tempo todo. Somente aqueles que veem a história como eventos e não como um processo podem cometer esse erro. Assim, talvez tenhamos ajudado a espalhar a mentira burguesa de que "a história se repete". *Black Power* foi publicado dois anos após a Rebelião de Watts em Los Angeles em agosto de 1965. (Outro erro do livro foi que ele, às vezes, se referia à rebelião como "tumultos". Ambos os autores ficaram descontentes com o que os editores insistiram ser o uso objetivo dos termos.) Este posfácio está sendo escrito dois meses após a Rebelião de Los Angeles, de abril a maio de 1992. Muitos podem pensar que a história está se repetindo, mesmo que tenham que admitir que a rebelião de 1992 foi quantitativamente maior do que a de 1965.

Mas muita coisa mudou. Em 1967, quando este livro foi escrito, os africanos conservadores e as organizações africanas denunciaram a rebelião, atribuindo culpa a criminosos. Em 1992, não se pode fazer isso! Em 1967, toda a estrutura política de Los Angeles era o poder branco. Em 1992, um ex-policial africano é prefeito. Em 1967, os africanos não ocupavam cargos políticos no Partido Democrata. Hoje, mais de trezentos e vinte prefeitos democratas nas maiores cidades dos Estados Unidos são africanos. O chefe do Partido Democrata, Ron Brown, é um africano e o mais popular democrata em todo o mundo é um africano, Jesse Jackson. As massas africanas não poderiam ter sonhado com essas mudanças em 1967! Assim, as reformas foram feitas — apenas não aquelas defendidas aqui. Na verdade, dialeticamente falando, as reformas foram exatamente o oposto.

No capítulo II, advertimos nitidamente que visibilidade não era igual a poder. Podemos ser mais precisos hoje e dizer que quanto mais visível for o político africano, menos poder é exercido. Mostramos a integração como um subterfúgio insidioso para a manutenção da supremacia branca. O Partido Democrata hoje prova essa máxima. Os africanos estão mais integrados ao Partido Democrata hoje do que nunca; eles têm mais pessoas eleitas do que qualquer outro grupo étnico, mas não têm poder algum no Partido Democrata! No fim, representam a visibilidade impotente.

As reformas sugeridas no livro não foram implementadas, porque o capitalismo dos EUA intensificou sua opressão sobre as massas enquanto "integrava" suas estruturas políticas. Assim, a declaração feita por africanos em todos os lugares se confirma, "quanto mais prefeitos conseguimos, mais miseráveis se torna a condição das massas". O livro advertia contra o avanço individual como um marcador de progresso. Repetidas vezes, o livro mostrou que o caráter de nossa luta era baseado na massa. *É somente a luta de massa que nos faz avançar e somente quando as massas avançam é que avançamos.* Se não for assim, as reformas capitalistas do governo para evitar a Revolução inevitavelmente alcançaram seu objetivo.

Malcolm X havia dito pouco antes de seu assassinato que os Estados Unidos poderiam evitar uma Revolução violenta; possivelmente. Revolucionários não tomam o caminho do derramamento de sangue facilmente. Mas a declaração de Malcolm não é mais verdadeira, mesmo que o capitalismo estadunidense esteja tentando fazer de tudo para que isso aconteça. Em todos os lugares dos EUA, as reformas são impostas a nós como o único meio de mudança. A Rebelião de Watts de 1965 foi um sinal da contínua vontade das massas de usar o aumento da violência revolucionária para mudar as condições. A ação se espalhou como um incêndio de grande proporção. Em 1968, mais de duzentas e cinquenta cidades haviam visto rebeliões em massa por parte dos africanos. Mas o livro pede mudanças fundamentais, não mudanças de formato. E todas as reformas têm sido apenas de formato, com algumas pitadas de cor. A rebelião de 1992, em Los Angeles, sinaliza o fim das reformas como um meio corretivo até mesmo para o sistema capitalista; agora é evidente que as massas de nosso povo aceitam que a Revolução é nossa *única* alternativa.

Muitos atacaram nossa analogia de considerar as comunidades africanas como colônias. O imperialismo, tentando se preservar diante da luta anticolonial das massas oprimidas, apresentou o neocolonialismo às massas. Neocolonialismo significa visibilidade sem poder. Você vê um presidente africano, mas o país inteiro é controlado pela França ou pela Bélgica ou pela Inglaterra — seu antigo mestre colonial. Em Los Angeles, após vinte e sete anos de reforma (ou independência colonial), e com um prefeito africano que era tenente da polícia, o terrorismo policial racista aumenta! Se isso não é neocolonialismo puro, o que é? Essa analogia não deve nos permitir perder de vista o fato de que os EUA são uma colônia de colonos; apenas os povos indígenas são seus justos proprietários.

Uma das chamadas *Freedom Songs* [Canções da Liberdade], popular durante o movimento pelos direitos civis, canta: "Dizem que a liberdade é uma luta constante!". Sabemos que velhas ideias e hábitos retrógrados são duros de matar e que os reacionários devem ser destruídos. Depois de ler o capítulo VI, todos os leitores devem estar convencidos com o axioma de Nkrumah "antes de mais nada, busque reinar na política". No entanto, forças totalmente reacionárias e confusas continuam a falar da necessidade dos africanos de se organizarem primeiro economicamente e depois politicamente. O fato de esse axioma incorreto ainda ser imposto ao nosso povo mostra a determinação do capitalismo para nos manter oprimidos. Todo o avanço econômico individual feito pelos africanos desde os anos 1960 foi resultado de uma luta política de massa, desde atletas até membros de conselhos corporativos de empresas capitalistas! Normalmente, todo esse avanço econômico individual tem sido feito para corromper indivíduos e torná-los ingratos em relação às próprias massas cujo suor e sangue tornaram possível seu avanço. As massas se tornam mais conscientes politicamente!

Os autores afirmaram a necessidade de um partido político africano independente, dando o Condado de Lowndes como um exemplo prático. (A propósito, este é um dos poucos livros que mostra nitidamente que o Partido dos Panteras Negras foi fundado pelo SNCC no extremo Sul e não nas ruas da Califórnia.) O SNCC foi seriamente condenado. Martin Luther King Jr. denunciou veementemente esse movimento e até mesmo alguns dos líderes do SNCC apoiaram publicamente King. Em 1992, organizações de trabalhadores, organizações de mulheres e até mesmo liberais estão falando sobre a necessidade de mais de dois partidos. O setor mais ativo dos africanos envolvidos na política eleitoral já começou a trabalhar em um terceiro partido. Só a história nos absolverá.

O livro usou o termo "Terceiro Mundo", de Frantz Fanon. O panfleto, de Kwame Nkrumah, *The Myth of the Third World* [O Mito do Terceiro Mundo] fez com que Kwame Ture abandonasse o termo. As consequências políticas desde a traição do marxismo-leninismo pelo antigo "bloco de Leste" confirmam o panfleto. Embora os autores tenham usado o termo em sua discussão sobre coalizões, o conceito está nitidamente ausente. Os autores cometem erros, a história não! No capítulo sobre novas formas, o trabalho de coalizão com porto-riquenhos está documentado. Os trabalhos de coalizão política consciente com outras nacionalidades oprimidas estavam em formas iniciais na época; africanos foram presos com povos indígenas por causa dos direitos de pesca. Assim, embora falte muita documentação, as opiniões gerais então defendidas se mostraram corretas.

Esse aspecto é um dos desenvolvimentos políticos mais empolgantes não previstos no livro. Essa coalizão, cujo verdadeiro poder é sentido entre as forças revolucionárias e progressistas, se reflete na política eleitoral burguesa da Rainbow Coalition [Coalizão Arco-Íris] de Jesse Jackson. Um desenvolvimento muito interessante é a coalizão com as forças árabes em geral e a causa palestina em particular, especialmente quando se lembra do apoio incondicional incorreto do dr. King ao sionismo.

A coalizão de minorias oprimidas mais os brancos pobres representa a verdadeira força para a mudança. A Rebelião de Los Angeles de 1992 reflete essa realidade; outras nacionalidades oprimidas se uniram à rebelião em caráter de massa. Essa coalizão representa uma ruptura com o dogmatismo racista da esquerda; que — apesar da evidente realidade material — insistiu que os trabalhadores brancos eram a única força principal para iniciar e assegurar a luta revolucionária. O papel das nacionalidades na luta sempre foi marginalizado pelos esquerdistas brancos ao redor do mundo. Na melhor das hipóteses, eles deveriam seguir os trabalhadores brancos e trilhar a luta revolucionária. (Na verdade, o livro deu muitos exemplos de traições dos trabalhadores brancos.) Vinte e cinco anos de história colocaram nitidamente as nacionalidades oprimidas na vanguarda da luta revolucionária em todo o mundo. Graças à sua luta consistente, esse desdobramento é um bom presságio para as relações internacionais com todas as forças oprimidas.

Uma das estratégias do racismo é confundir as vítimas, fazendo-as acreditar que todas as suas vitórias devem ser atribuídas ao opressor. Nos EUA, quando os africanos atacam verbalmente o capitalismo, dizem a eles que deveriam estar gratos ao sistema capitalista estadunidense, que lhes dá o direito à liberdade de expressão. Nessa única frase, séculos de luta africana são obliterados. Quando os africanos vieram para os EUA falando apenas línguas africanas, suas línguas eram cortadas e usadas como exemplo para os outros. O sistema mudou por si só ou os africanos forçaram a mudança por meio de uma luta consistente e intransigente?

Foi dito aos africanos que uma das principais razões de suas vitórias nos anos 1960 foi a imprensa capitalista. Em alguns momentos de nossa luta, a imprensa capitalista afirma que, na verdade, eles *deram voz à* Revolução. O capitalismo não mente algumas vezes, ele mente o tempo todo. Centenas de livros afirmam que a imprensa foi o fator crucial na difusão do Poder Negro, alguns afirmam que sem a imprensa ainda estaríamos nos chamando de "*Negroes*".

Hoje em dia, em nossas comunidades, a palavra "africano" não é saudada com a mesma hostilidade que o capitalismo criou por todos os seus meios, inclusive a imprensa. A imprensa capitalista não desempenhou nenhum papel no processo de nos denominarmos africanos e está fazendo de tudo para impedir. A imprensa capitalista simplesmente registra a história, nunca a faz; apenas as massas fazem história! Os africanos têm lutado contra a exploração diante da impressa capitalista e, em sua marcha para a liberdade, esmagará a mesma. A Rebelião de Watts ocorreu em agosto de 1965; o Poder Negro tornou-se um slogan popular em junho de 1966! A imprensa capitalista apoia movimentos de reforma que impedem a Revolução; esses movimentos de reforma passam a depender da imprensa e até mesmo a adaptar suas atividades para caber nas manchetes. A imprensa capitalista quer intoxicar as massas com este movimento de reforma. Os "líderes" reformistas intoxicados acreditam que o poder político cresce das lentes das câmeras de imprensa, e quanto mais lentes, mais poder. O poder político vem apenas das massas organizadas. O grande Mangaliso Sobukwe disse sobre a Revolução Africana: "A imprensa não nos fez, a imprensa não pode nos quebrar". Um slogan popular dos anos 1960 dizia: "A Revolução não será televisionada". Tudo isso é para enfatizar seriamente a afirmação de que só porque a imprensa capitalista não registra a história, não significa que a história não está sendo feita.

A imprensa capitalista interveio na luta desde a década de 1960 com todas as suas armas. Entre seus muitos alvos de exagero estavam (1) a história de luta dos africanos e (2) as relações com a África. Assim, o Poder Negro foi retratado como um fenômeno isolado, uma aberração que logo passaria. A história é. Não podemos fazer de outra forma. As revoltas dos escravizados e as rebeliões do Poder Negro comprovam nitidamente a história. Os africanos comprovam a lei universal da natureza humana: onde há opressão, há resistência, e "onde cresce a opressão, cresce a resistência". Desse modo, ontem os africanos queimaram plantações agrícolas em revoltas de escravizados; hoje queimam cidades industriais em rebeliões urbanas; amanhã queimarão uma nação tecnológica na Revolução, mas serão livres!

Poder Negro está totalmente ligado a todas as lutas africanas no mundo inteiro. Os africanos conhecem a escravidão e o colonialismo há séculos. Essas lutas são uma e a mesma coisa para a Revolução Africana e não podem ser separadas, embora estejam dispersas geograficamente. A tarefa do imperialismo é dividir e governar, isolar e dominar. O objetivo do capitalismo não é apenas isolar a Revolução Africana em cada um dos "países" divididos da nossa terra-mãe e nos "países" de nossa dispersão, mas também destruir a continuidade da luta nessas áreas. Nessas condições, Poder Negro não teve nada a ver com revoltas isoladas de pessoas que foram escravizadas, nada a ver com o honorável Marcus Garvey, nada a ver com as rebeliões urbanas dos anos 1900, 1920 e 1940, nada a ver com o livro dos anos 1950 de

Richard Wright, *Black Power* [Poder Negro, em tradução livre], dedicado a Osagyefo Kwame Nkrumah etc. etc. etc. A história é a marcha ininterrupta da luta para o avanço da humanidade. Assim, todas as lutas estão ligadas, umas mais fortemente do que outras. O Poder Negro surgiu entre as massas na década de 1960 por causa de séculos de lutas de africanos em todo o mundo, e é por isso que afetou os africanos em todo o mundo.

A ação humana é dividida em relação ao controle em dois domínios, o consciente e o inconsciente. A história tem suas leis, que afetam a todos, apesar da ignorância de tais leis. Osagyefo, no panfleto *The Spectre of Black Power* [O Espectro do Poder Negro], publicado em 1968, explicou uma:

> Deve-se entender que os movimentos de libertação na África, a luta do Poder Negro na América ou em qualquer outra parte do mundo só podem encontrar consumação na unificação política da África, o lar dos povos de ascendência africana em todo o mundo.

Mais tarde, em seu livro *Class Struggle in Africa* [A Luta de Classes na África], a lei histórica sobre o nacionalismo africano é declarada:

> Todas as pessoas de ascendência africana, quer vivam na América do Norte ou na América do Sul, no Caribe ou em qualquer outra parte do mundo, são africanos e pertencem à nação africana.

Pode-se lutar pela justiça consciente ou inconscientemente, no entanto, as leis da história dominam. Assim, as energias dos lutadores inconscientes são canalizadas no processo da história. É patente que podemos lutar pela injustiça por meio da falsa consciência. O Vietnã é evidente, representando mais uma das tragédias do capitalismo. Os jovens deixaram os EUA, viajando dez mil milhas para um país do qual nunca tinham ouvido falar antes, acreditando realmente que estavam sacrificando suas vidas para o avanço da democracia, para o avanço da história, quando na verdade estavam lutando contra si mesmos. Em nenhum outro lugar isso é visto mais nitidamente do que no caso de africanos deixando Los Angeles para lutar no Vietnã ou no Iraque pelo imperialismo dos EUA e tendo que lutar contra o exército do imperialismo estadunidense em Los Angeles.

A luta africana nos Estados Unidos é parte integrante da Revolução Africana. Mais vinte e cinco anos de luta agora incorporam esse fato irreversivelmente nas ideologias de nossos povos. O livro falava da necessidade dos africanos nascidos nos Estados Unidos de se prepararem para a luta na Azânia/África do Sul. Só o movimento de reforma sul-africano nos Estados Unidos mostra que os africanos nos Estados Unidos reconhecem a luta na Azânia como a deles. *Poder Negro* falou da necessidade dos africanos "traçarem suas raízes". No capítulo II, avisa que os africanos "estão se tornando conscientes de que têm uma história que é anterior à sua entrada forçada neste país". E continua, essa "história significa uma longa história que começa no continente africano".

Embora pan-africanistas como Fanon e Nkrumah tenham sido destacados, o livro não mencionou o Pan-Africanismo. Não podemos falar de sua história aqui, apenas encorajar todos a conhecê-la. O Quinto Congresso Pan-Africano (PAC) de 1945 convocou os africanos do mundo inteiro a construir movimentos de massa para o confronto final com o colonialismo. Ele foi copresidido por W.E.B. DuBois, Kwame Nkrumah e George Padmore, todos eles já familiarizados com partidos e movimentos de vanguarda. Ainda assim, chamaram por partidos e movimentos de massa. Imediatamente após o chamado, as massas africanas responderam. Partidos de massa surgiram em toda parte na África. Osagyefo fundou o Partido da Convenção Popular (CPP, sigla em inglês) em Gana em 1947. O Partido Democrático da Guiné (PDG), sob a sábia e corajosa liderança de Sekou Touré, começou a funcionar. Na Tanzânia, a União Nacional Africana da Tanzânia (Tanu), hoje o CCP (Chama Cha Mapenduzi, em suaíli), com Nyerere, viria a seguir, e Frantz Fanon desempenharia um papel proeminente na Revolução de massa argelina, que os franceses embrulharam em sangue. No Caribe, o movimento de independência era formado nada menos que pelo povo, e na Inglaterra e nos Estados Unidos, onde os africanos são encontrados em número significativo, os movimentos de massa surgiram em meados dos anos 1950.

Afirmamos que mesmo que a imprensa capitalista não a registre, a história é feita pelas massas! Desde a recente rebelião de massa em Los Angeles até o movimento de massa na Azânia/África do Sul, podemos ver que, apesar de todas as tentativas de esmagar o movimento de massas pelo imperialismo, ele não só continua, como também cresce e se desenvolve. O movimento deve se qualificar. Isso só pode ser feito tornando as massas eternamente conscientes por meio da organização permanente.

Um sistema não se desmorona por causa de traições. A cristandade ainda está aqui, apesar de Judas. Traições ao socialismo não significam colapso. Dos dois sistemas econômicos, o socialismo é o verdadeiramente único. Baseado apenas no instinto humano por justiça, se tornará inevitavelmente o sistema econômico mundial. O Pan-Africanismo é a libertação e unificação total da África sob o socialismo científico. O Poder Negro não pode ser isolado da Revolução Africana. Ele só pode ser compreendido dentro do contexto da Revolução Africana. Assim, com o Poder Negro, quer todos os seus participantes (incluindo os autores) estivessem ou não conscientes disso, veio uma intensificação das resoluções do Quinto Congresso Pan-Africano quando a Revolução Africana de Watts a Soweto entrou na fase de luta armada. Embora o *Poder Negro* não tenha mencionado o Pan-Africanismo explicitamente, o sexto PAC realizado em Dar Es Salaam, Tanzânia, em 1974, confirmou o conteúdo socialista do Pan-Africanismo.

Para os africanos nos Estados Unidos, estão presentes todos os ingredientes necessários — incluindo o meio político — para criar uma organização pan-africana de massa. Não se deve presumir que, porque o Partido Democrata da Liberdade do Mississippi não conseguiu deslocar o racismo, a exploração e a corrupção do corpo político do capitalismo dos EUA, a luta foi minimizada. Não se deve supor que, porque a LCFO-BPP não alcançou o status de partido independente, a luta foi minimizada. Pelo contrário, a história revolucionária mostra que o povo não cuida de suas feridas. Após a derrota, eles começam imediatamente a planejar o próximo passo na marcha para o avanço.

Desde que *Poder Negro* foi publicado pela primeira vez, as massas adquiriram mais experiência política, mesmo na política eleitoral burguesa. O entendimento internacional do povo cresceu, como exemplificado pelo apoio à causa palestina e a identificação com as lutas africanas em todo o mundo. O povo sabe mais sobre a África, e seu conhecimento de África está assumindo um caráter de massa. As condições políticas, sociais e econômicas estão se agravando. É absolutamente nítido para as massas africanas em todo o mundo que o capitalismo não pode ser reformado; ele deve ser destruído.

O maior obstáculo para aceitar a Revolução é o derramamento de sangue. Ouvimos o pan-africanista Malcolm X dizer: "A Revolução é sangrenta. Não reconhece compromissos. Ela revira e destrói tudo em seu caminho". Infelizmente, por causa do nível de desenvolvimento humano, os esforços humanos para avançar a humanidade custam sangue. A lógica política será discernida pelo consciente e se imporá ao inconsciente. As massas de africanos desde a escravidão e o colonialismo têm derramado sangue pelas *reformas!* E como já dissemos, o derramamento de sangue é um obstáculo, e esse obstáculo não existe para a Revolução africana. Nosso obstáculo é a falta de uma organização política com consciência de massa. Ou seja, devemos transformar o movimento de massa em organização de massa. Essa é a diferença entre rebeliões espontâneas e Revolução organizada. A lógica política pode ser vista por qualquer pessoa. Já que derramamos sangue continuamente por reformas, só que de forma esporádica e desorganizada, vamos nos organizar permanentemente e fazer a Revolução.

Nós dissemos que nenhuma das sugestões do livro foi implementada. A razão, repetimos, é a repressão intensificada pelo poder branco. A história caminha em um ritmo próprio, não no nosso, mesmo que sejamos catalisadores para ajudar a acelerar o processo. Os autores queriam as sugestões implementadas em 1967; só em 1992 é que podemos ver nitidamente os inícios. É evidente que a organização política de massa em escala pan-africana é a única solução. Assim, o Poder Negro só pode ser realizado quando existe uma África socialista unificada. Desejamos, portanto, impor a todos os povos oprimidos do mundo inteiro a necessidade de pertencer a uma organização política, nosso único caminho para o poder.

KWAME TURE
Conakry, República Popular
Revolucionária da Guiné
2 de junho, 1992

posfácio, 1992

por
Charles V. Hamilton

"O conceito de Poder Negro repousa em uma premissa fundamental: antes que um grupo possa agir na sociedade civil, ele deve primeiro se unir."

Essa declaração apareceu no capítulo II deste livro, e é tão importante hoje quanto era há vinte e cinco anos. Depois de um quarto de século, este país ainda se debate na busca por formas de lidar com um de seus problemas mais incômodos — raça. Quando o chamamento pelo Poder Negro foi levantado em 1966 (e alguns apontaram corretamente que esta não foi a primeira vez que o termo foi usado) na esteira de enormes manifestações de direitos civis e novas leis de direitos civis, o país estava em um ponto de virada significativo em sua longa luta pela justiça racial. A década de 1960 assistiu ao importante desmantelamento de uma sociedade legalmente segregada. Uma combinação de métodos e forças políticas se fundiu para escrever um novo capítulo na história estadunidense. Esse foi, de fato, um novo tempo, simultaneamente estimulante, promissor, recompensador e confuso. Muitos disseram — tanto antes como agora — que o Poder Negro fazia parte dessa confusão, que era mais um agravamento dos problemas do que uma receita útil para uma solução.

Isso acontecia, na opinião deles, porque o Poder Negro, com sua ênfase no poder para os negros, era percebido por muitos como se estivesse apenas realçando divisões raciais, fugindo de coalizões com os brancos (muitos citaram o capítulo III, "os mitos sobre coalizões"). Foi visto como uma tentativa de expulsar os brancos do movimento de direitos civis. E, acima de tudo, o chamamento ao Poder Negro foi ouvido por mais do que alguns, negros e brancos, como antibranco, derrotista e como algo que rejeitava amargamente o objetivo tradicional de integração do movimento de direitos civis.

Não importa que algumas das explicações tenham se concentrado justamente na negação dessas acusações e em discutir o conceito em termos de uma política estadunidense pluralista viável. Não importa que esforços minuciosos tenham sido feitos para apontar os anos de impossibilidades dos negros de entrar em coalizões viáveis com outros grupos, coalizões que reconhecessem e respeitassem as necessidades e reclamações legítimas dos negros estadunidenses. Muitos defensores do Poder Negro tentaram argumentar que pessoas negras sempre entenderam a necessidade de coalizões, mas muitas vezes esses esforços foram frustrados, e os negros, por causa de seu status relativamente fraco, foram incapazes de fazer muito a respeito disso. Onde estavam os parceiros de coalizões viáveis nos anos 1930, quando organizações negras (a NAACP e a Liga Urbana Nacional, para citar exemplos proeminentes) praticamente suplicaram a seus aliados brancos para que incluíssem trabalhadores agrícolas e empregados domésticos — não apenas negros, mas todos esses trabalhadores — nas disposições do seguro social da histórica Lei da Previdência Social em 1935? Esses aliados as abandonaram. Onde estavam os parceiros da coalizão na década de 1940, quando os negros eram persuadidos a não pressionar pelo fim da discriminação racial, mesmo quando os liberais incitavam os negros a apoiarem (como os negros fizeram) um significativo projeto de lei de pleno emprego? E, quando os anos 1960 chegaram, onde estavam os aliados esclarecidos quando o Partido Democrata da Liberdade do Mississippi, racialmente integrado, procurou desafiar o partido estatal do Mississippi, racista e branco, na Convenção Democrata Nacional de 1964? Em cada caso, a mensagem era nítida: os negros estadunidenses não eram politicamente fortes o suficiente para convencer seus aliados em potencial a se alinharem com eles. A mensagem era igualmente nítida de que os interesses fundamentais dos negros estariam subordinados aos interesses das forças mais poderosas da sociedade.

Em tais circunstâncias, o que um povo deveria fazer?

Não, o chamamento ao Poder Negro nos anos 1960 não foi um apelo ao isolamento racial. Foi, sim, um reconhecimento honesto de que para qualquer grupo — racial, étnico, econômico — se tornar um jogador respeitado e eficaz no sistema político estadunidense, a organização coesa era crucial. Essa não é uma lição que muitos outros grupos tenham negligenciado ou precisaram ser relembrados. E, no entanto, quando os negros começaram a aplicar a lição a si mesmos, foram imediatamente rotulados de "separatistas" e ativistas insensatos que buscavam "seguir sozinhos".

Pensando bem, essa distorção do Poder Negro pode muito bem ser compreensível. De fato, houve muitas interpretações do conceito a partir do final da década de 1960. E não há como fugir do meio volátil em que ele foi criado. Alguns o viram como uma palavra de ordem legítima. Tanto os liberais como os conservadores podiam ver no Poder Negro um chamado à "autodeterminação" e ao "esforço pessoal". E, é evidente, tais interpretações tiveram o cuidado de repudiar as conotações antibrancas do termo. Os conservadores — negros e brancos — viram no conceito a possibilidade de alguma variante do "capitalismo negro". Para ter certeza, seguindo a proeminência da Nação do Islã no início dos anos 1960, alguns até equipararam o Poder Negro a um chamado para uma Nação Negra distinta. Nesse sentido, a caracterização do "separatismo" foi precisa. (De fato, no início, Malcolm X havia orgulhosamente proclamado a Nação do Islã como não interessada na integração, mas na separação, exigindo que cinco estados separados fossem cedidos aos negros para uma nação soberana.)

Depois, houve as várias interpretações culturais do Poder Negro. Muitos enfatizaram a necessidade de se concentrar mais na experiência histórica africana e no impacto da escravidão sobre as pessoas negras. No processo, essa ênfase foi severamente crítica ao tratamento decididamente negligente da cultura e história de base africana. (Evidentemente, a presente discussão sobre multiculturalismo no currículo educacional é uma continuação desse debate.) Ao mesmo tempo, esses fenômenos deram ímpeto a uma série de desenvolvimentos nas comunidades negras que vão desde mudanças nos jeitos de usar o cabelo (afros) e vestuário (batas), até mudanças de nome (seja do uso da palavra "*Negro*" para "*Black*" ou a adoção individual de nomes africanos). Todos esses se tornaram elementos de uma virada para as raízes africanas de um povo que buscava sua própria identidade em uma sociedade multiétnica e pluralista. Tudo isso manifestou o componente cultural da união do povo negro.

Ao mesmo tempo, começamos a ver o surgimento de grupos ou "bancadas" de orientação distintamente negra. A Congressional Black Caucus [Bancada Negra do Congresso] foi formada em 1970. Praticamente todas as ocupações profissionais desenvolveram tais organizações. Havia, sem dúvida, uma crescente consciência negra. Os estudantes nos *campi* universitários (cujas fileiras estavam aumentando rapidamente nos *campi* predominantemente brancos) formaram organizações estudantis negras e exigiram (e esse era o termo, frequentemente associado ao modificador "não negociável") seus próprios dormitórios e centros estudantis, bem como mais professores negros e programas de estudos negros. Tais desenvolvimentos deram mais argumentos àqueles que viam o movimento do Poder Negro como "separatista" e isolacionista.

Nessa atmosfera dinâmica, o movimento foi associado na mente de muitos como uma tentativa de controlar componentes estruturais da embrionária guerra contra a pobreza, especialmente as partes relacionadas à máxima participação possível nos programas de ação comunitária. Os nacionalistas negros foram vistos como se estivessem tentando assumir o controle dos fundos do governo que chegam às comunidades locais, exigindo várias formas de "controle comunitário".

Sem dúvida, toda essa atividade levou a uma maior ênfase na raça *per se* e politizou ainda mais outros grupos — mulheres, latinos, outros grupos étnicos, deficientes e, mais tarde, gays e lésbicas. Algumas pessoas passaram a ver a eficácia da mobilização com base em identidades silenciadas na sociedade estadunidense. Em certo sentido, o movimento do Poder Negro tornou mais explícito o que antes era um entendimento implícito e latente na política: grupos com identidades e interesses particulares devem se unir antes de poderem operar efetivamente na política estadunidense.

Mas esse desenvolvimento foi precisamente o que algumas pessoas alegam ser prejudicial. Poder Negro, argumentaram, despertou emoções profundamente enraizadas em relação a orientação e identidade racial, étnica e até mesmo de gênero. Melhor não cutucar a onça com vara curta, mais do que alguns advertiram. Se você reivindica tão veementemente avanços na questão da raça, você desperta sentimentos em outros grupos, os quais também darão ênfase comparável à sua identidade étnica. No processo — os liberais e os conservadores previram — você oculta a *verdadeira* causa da subordinação e exploração, ou seja, as divisões socioeconômicas de classe. A causa fundamental da opressão negra foi "classe" e não raça, argumentaram. O racismo (institucional ou individual) foi realmente fruto da manipulação da classe socioeconômica. Se você levantar a questão racial, você mitiga a possibilidade de organização de acordo com as linhas de classe e, assim, torna a luta por justiça econômica muito mais difícil.

Esse não foi um argumento novo para muitos defensores do Poder Negro. No decorrer dos anos, mesmo antes do *New Deal* dos anos 1930, essa posição foi articulada aos negros, especialmente vinda da esquerda política. No entanto, a história frustrante estava lá ainda assim. O problema de classe e da política estadunidense não foi que os negros rejeitaram a proposta. As pessoas negras sempre entenderam essa dimensão da luta política. Não foram os negros da era populista dos anos 1890 que desprezaram as alianças de classe; foram os brancos, tanto os líderes quanto os seguidores. Não foram os negros que lutaram contra os sindicatos; na verdade, eles apoiaram o sindicalismo contra a Lei Taft-Hartley e contra as leis do "direito ao trabalho", apesar dos sindicatos locais racistas que os mantiveram fora dos programas de aprendizagem e lhes negavam a afiliação. Portanto, as pessoas negras familiarizadas com essa história não estavam convencidas de que o chamamento pelo Poder Negro era o elemento divisor que destruía uma luta política baseada em alianças de classe. O fato era que, durante décadas, os negros tiveram poucos aliados *brancos* dispostos e suficientes para se unirem a eles em uma luta progressista de classe. Por quaisquer razões, e eram muitas, os pobres brancos sempre se sentiram mais à vontade com suas identidades brancas do que com seus colegas de classe negros.

• • •

Agora, em 1992, vinte e cinco anos após a primeira publicação deste livro, o país ainda se encontra cercado de problemas raciais. O racismo institucional ainda é uma parte predominante da vida nos Estados Unidos. Na verdade, alguns podem dizer, ainda mais do que antes. Pelo menos, nos anos 1960, havia entusiasmo e esperança, embora também houvesse confusão e discordância. Ao mesmo tempo, seria impreciso e enganoso concluir que nada mudou.

Após um quarto de século, o povo negro pode votar em lugares onde esse direito era anteriormente negado. Existem hoje mais de oito mil negros eleitos em todo o país — como prefeitos, membros do conselho escolar, legisladores locais e estaduais, um governador estadual, membros do Congresso. Eles chefiam departamentos de polícia locais e possuem cargos de formulação política com autoridade sobre a alocação de importantes recursos fiscais. Mais escolas em todos os níveis estão abertas para estudantes negros.

Porém, ainda assim, persistem graves problemas econômicos e, em muitos lugares, os problemas estão se agravando. Indiscutivelmente, as pessoas negras estão agora em empregos para os quais nunca foram considerados antes. Sem dúvida, elas são mais visíveis na televisão (e não em papéis degradantes), em posições corporativas, em empresas e em campos esportivos ganhando milhões de dólares. Mas também estão desproporcionalmente nas listas de beneficiários de auxílio governamental, nas prisões e nas estatísticas de desemprego. Elas vivem desproporcionalmente em más condições de moradia e são mais vítimas de crimes violentos (frequentemente, nas mãos de outras pessoas negras); e a incidência de saúde precária e famílias instáveis e vulneráveis é maior nas comunidades negras do que em outras áreas.

Então, o que aconteceu, ou não aconteceu, com o Poder Negro? Depois de todo esse progresso em alguns setores, por que ainda vemos essas condições devastadoras existindo nas comunidades negras ao redor do país? Não há dúvida de que os negros têm, de fato, em mais de alguns lugares, coletividade. Eles têm demonstrado um elevado senso de consciência negra, politicamente e culturalmente. E, ao mesmo tempo, os negros têm tentado influenciar as políticas públicas, bem como as práticas privadas, que vislumbram maior justiça econômica e superação dos resultados da segregação racial e da discriminação racial do passado e do presente.

Não faltaram análises e explicações durante as últimas duas décadas e meia. Mas também devemos estar cientes de algumas suposições iniciais ingênuas e injustificadas sobre o potencial imediato de uma força política negra organizada neste país.

Vindo à tona no período dinâmico dos anos 1960, alguns defensores do Poder Negro inocentemente, eu suspeito, presumiram que todos aqueles que se juntariam ao movimento teriam visões bastante semelhantes sobre quais seriam as principais reivindicações do povo negro. Certamente, a agenda incluiria dar atenção mais assertivamente ao preconceito racial e às disparidades econômicas. Mas nunca ficou nítido que haveria um acordo substancial sobre como atingir esses objetivos.

Se o movimento tradicional de direitos civis estava nitidamente alinhado a uma orientação liberal-progressista, exigindo uma ação governamental nacional mais eficaz, alguns defensores do Poder Negro podiam facilmente concluir que tal ação havia atingido seus limites: uma vez que o governo nacional removesse as barreiras *legais* ao avanço, a tarefa cabia então aos próprios negros dedicarem mais de suas energias e recursos para ajudarem a si mesmos. *Eles* precisavam se engajar mais no "espírito de iniciativa" e buscar desenvolver organizações e instituições que contassem menos com "esmolas" do governo e mais com seus próprios esforços intracomunitários. Afinal de contas, não foi assim que outros grupos haviam obtido sucesso na sociedade? Como muitos negros receberam vantagens na educação e no emprego, eles deveriam "voltar" e ajudar suas irmãs e irmãos menos afortunados. E fazê-lo sem a constante reclamação sobre a falta de assistência econômica do governo. Eles deveriam deixar de se ver como vítimas perpétuas e tomar mais iniciativa por conta própria para assumir a responsabilidade de aliviar a sua situação. Essa advertência repercutiu bem em muitos, especialmente nos anos 1970 e 1980, com a visão na sociedade em geral de que os principais problemas de direitos civis tinham terminado, dada a aprovação das leis de direitos civis nos anos 1960. Muitos brancos estavam começando a ver as demandas negras como reivindicações de tratamento preferencial, especialmente ações afirmativas e cotas raciais. Alguns negros, que de outra forma apoiavam a proposta geral de se unir, começaram a sentir que eles próprios, se não eram a causa dos problemas iniciais de segregação e discriminação, certamente não estavam suficientemente envolvidos no fornecimento de soluções para os problemas.

Portanto, alguns defensores do primeiro momento do Poder Negro foram francamente ingênuos ao assumir que seu movimento *político* seria inevitavelmente um movimento economicamente liberal. Alguns até mesmo usaram o termo "revolucionário". Nesse sentido, desafiavam diretamente a base capitalista da economia, em favor de uma variante de economia socialista. Eles supuseram que a posição liberal era óbvia e correta e continuaria precisamente, porque seus círculos eleitorais de massa ainda precisavam de um vasto apoio governamental. Tal apoio sempre foi entendido como necessário e frequentemente disponível em tempos de extrema necessidade econômica. Não foi esse o caso na depressão econômica dos anos 1930? Não foi o caso depois da Segunda Guerra Mundial, quando o país prestou prontamente ajuda aos veteranos que retornavam com bolsas educacionais e com empréstimos favoráveis a novos proprietários de casas?

De fato, não foi esse o reconhecimento evidente dos programas da sociedade na década de 1960? Muitos defensores do Poder Negro, portanto, faziam parte desse legado político, e viam sua própria intervenção como simplesmente um meio mais eficaz de impulsionar uma agenda liberal-progressista. O problema, eles concluíram, era que o país não estava disposto a fazer tanto quanto as necessidades objetivas das massas de negros exigiam.

A suposição de que o Poder Negro significava automaticamente uma política liberal-progressista foi uma suposição que não teve base na realidade histórica.

Os conservadores poderiam se ver como os *verdadeiros* herdeiros de uma variante do Poder Negro defendida por Booker T. Washington, Marcus Garvey, na década de 1920, e a Nação do Islã.

Um conservador negro foi nomeado para a Suprema Corte dos Estados Unidos, proclamando Malcolm X como um de seus heróis! E esse mesmo juiz havia condenado os líderes dos direitos civis por estarem constantemente preocupados em "reclamar, reclamar e reclamar".

Não havia nada de inevitável ou evidente sobre as preferências de *política econômica* de um movimento de Poder Negro coerente. As pessoas podiam se unir e, ainda assim, ter opiniões muito diferentes sobre como proceder politicamente, especialmente quando as questões envolviam uma ação mais — ou menos — governamental. Essa situação poderia apresentar (e apresentou) problemas dentro do grupo. Pessoas que conseguiam apoiar confortavelmente o Poder Negro (ou o que entendiam por Poder Negro) poderiam facilmente discordar sobre quais estratégias e políticas específicas deveriam ser seguidas. Quando essa discordância se desenvolveu nas inúmeras conferências negras no decorrer dos anos, levou à dissensão interna e ao questionamento do compromisso "com a luta". A liderança foi fraturada e acusações de "traição" e transigência se espalharam. A confiança no Poder Negro como uma chamada unificadora seria de pouco valor em tais circunstâncias. Na sequência desse tipo de desacordo, várias conferências negras foram realizadas, cada uma buscando colocar sua própria marca de legitimidade na substância política do significado de "união".

Os defensores do Poder Negro da esquerda viram os conservadores como um grupo que tentava equiparar o Poder Negro ao Capitalismo Negro. Isso significava simplesmente outra versão de exploração das massas, substituindo capitalistas brancos por capitalistas negros, e não tratar realmente dos problemas fundamentais de um sistema econômico que deixaria a maioria dos negros no degrau de baixo da escada socioeconômica. O que era necessário, eles presumiam, e muitas vezes não articularam dessa forma, era um empoderamento negro que, em última instância, desafiaria e mudaria as relações básicas dominantes-subordinados embutidas em um sistema capitalista institucionalmente racista e explorador.

Os defensores do Poder Negro da direita estavam mais inclinados a ver a necessidade em termos menos holísticos e "revolucionários". Pessoas negras precisavam organizar seus próprios recursos, acumular capital, serem capazes de funcionar melhor — como indivíduos e coletivamente — em uma economia de mercado. Para eles, isso não era mais ou menos do que o que outros grupos haviam feito e estavam fazendo. Esse era o verdadeiro significado de esforço pessoal na tradição estadunidense, e estes proponentes viam a lealdade dos negros estadunidenses à aliança liberal-progressista como perpetuação de uma síndrome de dependência que não foi calculada para levar ao verdadeiro poder em uma economia de mercado pluralista. Precisavam de empresários negros, não de líderes negros que viviam de subsídios antipobreza e imploravam constantemente por mais esmolas do governo.

Com certeza, essas duas amplas posições ideológicas tinham suas próprias subvariantes internas. Não havia quase nada que se aproximasse remotamente de uma visão monolítica em qualquer um dos campos. Mas cada posição tinha basicamente sua própria visão do que constituía uma organização eficaz para o Poder Negro.

A edição anterior deste livro não foi suficientemente atenta a essa dicotomia previsível. Uma análise mais cuidadosa da história do povo negro teria mostrado que não se tratava de um desenvolvimento novo ou inesperado. As diferentes vertentes ideológicas sempre existiram. De certa forma, os defensores do Poder Negro dos anos 1960 viram seus esforços e intenções sinceras como óbvias e evidentes. Mas isso não era verdade naquela época, e certamente não é verdade vinte e cinco anos depois.

Parte do problema hoje é que estamos competindo por atenção e compreensão contra o que pode ser chamado de politização instantânea. Estamos em uma era de tremenda influência por meio da cultura pop, em que muitos se tornam politizados não mediante um longo e duro estudo e organização, mas por meio do retrato apaixonado de nossa luta em documentários televisivos, discursos emocionais, filmes e programas de televisão e rádio. Para muitas pessoas mais jovens, isso é compreensível, mas não particularmente eficaz. Complica o processo de politização. É rápido, intenso, teatral e sincero, mas não é muito provável que seja profundo e sustentável. É o recente e o instantâneo que chama atenção, seja um ataque policial brutal ou um evento racista específico. De outro modo, excelentes estudantes conhecem a artista de rap Sister Souljah, mas não Mary McCleod Bethune, embora o compromisso apaixonado da primeira seja prefaciado pela luta no decorrer da vida da segunda. Se invertêssemos o processo educativo e chegássemos a entender Sister Souljah por meio de Bethune, ou Ice-T por meio de Booker T. e W.E.B. DuBois, nossa luta seria muito mais substantiva e sustentável, e talvez até mais consensual. Isso é mais do que uma veneração nostálgica dos líderes do passado. É o reconhecimento da perspectiva histórica, a continuidade progressiva de nossa luta. A edição original deste livro — embora não totalmente ausente — foi mais fraca sobre esse ponto do que deveria ter sido.

O que é nítido é que confiar na identidade racial como o principal fator de mobilização política é importante, mas de forma alguma suficiente. É um objetivo louvável eleger pessoas negras para cargos públicos e abrir portas que antes estavam fechadas. É ainda mais importante quando pensamos que a exclusão histórica tem sido baseada unicamente na raça e não no mérito. Portanto, é compreensível que um foco maior seja dado à raça, uma vez que, por tanto tempo, a raça foi o principal fator de exclusão, e em muitos casos, ainda é. Mas esse único foco também poderia apresentar problemas, dadas as discordâncias descritas acima.

Quando Thurgood Marshall renunciou à Suprema Corte dos Estados Unidos e foi substituído por um negro conservador, alguns negros liberais se sentiram forçados a não se opor ao novo nomeado. Afinal de contas, era importante ter um afro-estadunidense na corte. Tal opinião focava principalmente na raça, e dava pouca atenção às opiniões do nomeado. Isso dificilmente poderia ser reconfortante para alguns defensores do Poder Negro. Neste livro, afirma-se nitidamente que "[Poder Negro] não significa *simplesmente* colocar caras negras nos cargos. A visibilidade negra não é o Poder Negro".

O fracasso em tornar isso mais explícito levou a consequências indesejáveis. Um resultado definitivo foi abrir o caminho para aqueles da comunidade negra que aproveitariam a oportunidade para progredir sozinhos usando a raça. Eles não mostram nenhuma indicação de compromisso nem com a esquerda nem com a direita. São simplesmente trapaceiros, usando sua raça como cobertura para seu ganho pessoal e individual, sabendo que podem sempre usar a acusação de racismo contra aqueles que se oponham a eles. Com toda franqueza, o Poder Negro abriu essa porta e convidou tais oportunistas, sem nenhuma forma discernível de avaliar seu compromisso ou seu talento. Mesmo que o compromisso ideológico fosse difícil de avaliar, certamente deveria ter sido dada mais atenção às qualificações substantivas. Mais do que alguns colocaram batas, falaram a linguagem da "consciência negra" e desafiaram qualquer outro a questionar sua autenticidade. Tais pessoas se enfileiraram em frente às portas de novas oportunidades abertas ao povo negro pela longa e soberba luta contra o racismo. Preencheram cargos em universidades, em empresas, em cargos públicos, sem nada além de seus rostos negros para recomendá-los. E quando sua inaptidão foi descoberta, atuar e alcançar posições com base em méritos *próprios* se tornou muito mais difícil para os verdadeiramente capazes. Este foi um preço terrível a pagar por um movimento de Poder Negro que pretendia superar barreiras e instalar uma presença negra legítima em benefício das massas de negros — e da sociedade.

A causa disso era evidente: a falha em insistir que o *verdadeiro* Poder Negro também significava o verdadeiro talento negro. Na verdade, insistir que não podia haver distinção entre os dois, que o último estava implícito no primeiro. Mas um movimento tão engajado (e tão preocupado) em ganhar uma posição honesta para os negros que sofreram durante séculos com o racismo institucional teria dificuldade, na melhor das circunstâncias, de estabelecer critérios legítimos de avaliação. Isso acontecia especialmente quando os negros se deparavam com uma situação em que os próprios brancos haviam violado os padrões de escolha baseados no mérito por tanto tempo. Dificilmente se poderia sustentar que todas aquelas nomeações de professores universitários brancos, cargos corporativos e eleição para cargos públicos foram baseadas estritamente na alta qualidade ou no mérito. Mas os negros tinham um propósito maior — abrir o sistema e torná-lo mais justo — mesmo que muitos brancos estivessem satisfeitos com sua própria mediocridade. Portanto, os negros não podiam dar menos do que o melhor de si. Muito mais atenção deveria ter sido dada a esse fenômeno previsível. Mais uma vez, havia uma suposição ingênua de que, junto com o fato de ser negro, vinha também o compromisso de ser qualificado. Alguns defensores do Poder Negro, infelizmente, assumiram essa máxima. Dessa forma, imitaram o que havia (ou há) de pior em uma sociedade racista branca contra a qual lutavam.

O problema viria a assombrar o movimento quando alguns dos oportunistas fossem expostos ou por falta de talento ou por sua avareza. Assim, uma acusação de inaptidão ou incompetência contra os oportunistas colocou muitas pessoas negras num beco sem saída: apoiar a acusação parecia dar ajuda e conforto aos racistas que não queriam nenhum negro em primeiro lugar; opor-se à acusação parecia dar credibilidade à proposta de que qualquer negro era melhor do que nenhum negro. Por mais irritante que seja a primeira opção, a segunda, a longo prazo, dificilmente poderia ser benéfica para os negros estadunidenses. Nenhum movimento político viável poderia ser sustentado se fosse tão vulnerável a abusos internos por parte daqueles de seu próprio grupo. Expor tais impostores não é tanto uma questão de coragem, mas um reconhecimento de que a luta de alguém pode ser severamente subestimada por aqueles que aproveitariam qualquer oportunidade de avançar sua própria fortuna às custas do grupo. Essa mesma postura deve ser tomada contra aqueles que usam o pretexto do racismo para desculpar seu próprio comportamento criminoso. Naturalmente, as más condições econômicas contribuem para um ambiente que gera crime e desrespeito flagrante à lei. Mas esses atos não podem ser defendidos como algo remotamente ligado a uma luta política legítima por justiça e pelo desenvolvimento econômico. Seja saque sob o pretexto de protesto violento contra a injustiça, seja abuso da confiança pública em cargos eletivos, tais atos são absolutamente indefensáveis. Expor os corruptores não é uma questão de dar ajuda e conforto aos racistas; é um requisito necessário para expurgar charlatães da luta e um meio de proteger de seus detratores a legitimidade dessa luta. Traficantes de drogas, vigaristas e bajuladores de qualquer cor não são líderes políticos *legítimos*, apesar do número de pessoas que influenciam.

Não se trata de uma história nova. É, no entanto, uma história com a qual o movimento do Poder Negro nos Estados Unidos tem que chegar a um acordo. Raça por si só não é suficiente. Padrões de excelência e comprometimento também são necessários. Esse é um desafio interno, intracomunitário que, se não for enfrentado, só levará ao enfraquecimento da luta e a mais confusão.

• • •

Há outra questão que deve ser enfrentada por aqueles comprometidos com o Poder Negro e com as políticas socioeconômicas de uma agenda progressista séria. Há evidências substanciais de que a maioria das pessoas negras, por uma ampla margem, está comprometida com uma agenda liberal-progressista. Inúmeras pesquisas e estudos eleitorais atestam isso no decorrer dos anos. Da mesma forma, quando pessoas negras têm a escolha entre apoiar um negro conservador ou um branco liberal, a escolha invariavelmente vai para este último. Não há confusão aqui. As necessidades das massas negras exigem um governo ativista que reconheça a necessidade de maior, e não menor, envolvimento do setor público. É assim em termos de políticas de emprego, habitação, saúde e investimento humano que questionam nitidamente uma abordagem mais *laissez-faire* para problemas sociais — tanto os urbanos quanto os rurais.

O chamado do Poder Negro para se unir é, portanto, um reconhecimento de que o primeiro passo nessa direção é uma força elucidada e coesa com esses objetivos finais em mente.

Mas isso é apenas um *primeiro* passo.

Depois de se unir, organizar seus círculos eleitorais e eleger seus pares para cargos públicos, ainda vemos condições deteriorantes. Por que isso acontece? Será que toda essa ênfase na consciência negra foi em vão? Na década de 1980, indiscutivelmente, houve uma mudança conservadora no país. Será isso um nítido sinal de que, por mais coesos que os negros se tornem, há pouca esperança de uma "política de libertação"?

Eu acho que não.

Talvez houvesse uma suposição ingênua adicional de que tudo o que era necessário era eleger alguns prefeitos negros poderosos e talentosos, nomear alguns chefes de polícia negros e chefes de distritos escolares e, por todos os meios, registrar-se e votar. Certamente, esse processo de jogar de acordo com as regras levaria à melhoria, e não ao declínio do status.

Certamente, tais esforços produziriam mais do que benefícios negligenciáveis. Mas não foi o caso. Agora, em 1992, há provas abundantes de que as pessoas negras estão mais isoladas e frustradas do que há duas décadas.

É importante reconhecer que a luta política é uma luta prolongada. Não é calculada para levar a mudanças rápidas e substanciais, mesmo sob as melhores circunstâncias. Quando os negros se unem, estão apenas no início de uma jornada muito longa e tortuosa. Aqui, é precisamente relevante falar sobre coalizões. Quando os negros, plenamente conscientes de seus interesses socioeconômicos, se organizam adequadamente, asseguram seus próprios grupos e maximizam seus próprios recursos, tornam-se então mais disponíveis para entrar em coalizões efetivas com outros que compartilham esses interesses. Eles podem entrar em tais alianças não como fracos, mas como parceiros completos. Eles terão o que os outros precisam. O fato é que, em demasiadas comunidades negras, tal organização e participação *não* foi alcançada. A participação dos eleitores ainda é muito baixa na maioria das eleições. Tal participação aumenta e diminui com candidatos interessantes e incidentes provocativos. A participação deve ser consistentemente alta, não apenas em momentos episódicos. Ao mesmo tempo, é necessário compreender e aceitar o fato de que o sistema político estadunidense *é* altamente fragmentado, complexo e multifacetado. Um prefeito negro — ganhando essa posição pelo voto do eleitorado negro — precisará desse aumento contínuo de participação nos níveis estadual e nacional. Nenhuma cidade pode cuidar de seus necessitados sem a ajuda de maiores recursos governamentais. Colocar uma pessoa negra ou liberal no poder local é um passo, mas não é de forma alguma o passo final.

Esse complexo sistema de controle e equilíbrio exige diligência política o tempo todo e em muitos lugares. Também significa que quanto maior for a área política — distrito, município, condado, estado, nacional — em que se pretende jogar, de mais aliados organizados em coalizões se precisará.

Existem aliados brancos em potencial por aí? Há número suficiente de brancos capazes de superar o racismo e se aliar a negros com interesses socioeconômicos similares? Algumas pessoas negras argumentariam, compreensivelmente, que a história não seria muito encorajadora nesse aspecto. No entanto, os negros podem colocar isso à prova. E podem trazer para o processo algo que está faltando há muito tempo: uma força de Poder Negro progressista, organizada, esclarecida e totalmente desenvolvida. Uma força a qual os outros teriam de respeitar e com a qual enxergariam o valor de se aliar. *Assim, o Poder Negro, devidamente compreendido, pode ser uma força positiva não apenas para os negros, mas para os brancos que precisam de muitas das mesmas políticas importantes exigidas por seus parceiros negros.*

O processo também não deve excluir a possibilidade de um terceiro partido independente. A história política estadunidense tem exemplos suficientes do sucesso de tais empreendimentos, devidamente organizados e implementados, especialmente em níveis estaduais e locais, para nos levar a não descartar essa potencial abordagem. Como em todas as lutas políticas, isso não é uma panaceia, é um processo potencial a ser explorado. Em que circunstâncias funcionará é uma questão de cálculo e estratégia cuidadosa. Quanto mais organizado e sofisticado for o eleitorado, maior será a possibilidade de aproveitar a estratégia de um movimento político independente.

Mas, novamente, o pré-requisito permanece: se unir. Nesse sentido, não há necessidade de o povo negro fugir de alianças com brancos que pensam da mesma forma.

Visto sob esta luz, é importante observar que o verdadeiro Poder Negro seria necessário mesmo que não houvesse uma incidência perceptível de racismo. O *Poder Negro é necessário não apenas para superar o racismo, mas também para alcançar uma ordem socioeconômica verdadeiramente equitativa.* Muitos brancos *deveriam* ter interesse no último, mesmo que tenham dificuldade em aceitar o primeiro.

Se os brancos aproveitarão a oportunidade oferecida pelo Poder Negro, obviamente, é uma questão em aberto. Mas os negros não podem fazer muito neste processo político educativo. O que eles *podem* fazer, entretanto, é mostrar que *existe* uma força de Poder Negro inteligente e comprometida disponível para uma aliança progressista. Esta é uma prescrição para se unir em cada etapa do processo político. O objetivo final permanece como já foi declarado neste livro — *uma sociedade aberta*.

Tal processo, devidamente conduzido, conseguiria ser mais revolucionário a longo prazo do que qualquer coisa que este país tenha visto em seus duzentos anos de história.

CHARLES V. HAMILTON
Universidade de Columbia
Julho de 1992

referências bibliográficas

NOTA: *Muitas publicações nos ajudaram na formulação das nossas ideias. Listadas aqui estão apenas as fontes relevantes para passagens específicas — geralmente, históricas e de fatos — deste livro.*

APTER, David. *The Politics of Modernization.* Chicago: University of Chicago Press, 1965.

ATLANTA CIVIC COUNCIL. *The City Must Provide, South Atlanta: The Forgotten Community.* Atlanta: Atlanta Civic Council, 1963.

BAIN, Myrna. Organized Labor and the Negro Worker. *National Review*, Nova York, 4 jun. 1963.

BANFIELD, Edward C. *Big City Politics.* Nova York: Random House, 1965.

BANFIELD, Edward; WILSON, James Q. *City Politics.* Nova York: Random House (Vintage Books), 1966.

BENNETT, Lerone Jr. *Before the Mayflower: A History of the Negro in America, 1619-1962.* Chicago: Johnson Publishing Co., 1962.

BLUMER, Herbert. Race Prejudice as a Sense of Group Position. *Pacific Sociological Review*, Spring, 1958. [Ed. bras.: Alves, B. V. W., & Valério, P. de T. M. (2013). *Preconceito de raça como sentido de posição de grupo*, de Herbert Blumer. Plural, v. 20 n. 1, pp.145-154, 2013.]

BRIMMER, Andrew F. The Negro in the National Economy. *In*: DAVIS, John P. (Ed.). *The American Negro Reference Book.* Englewood Cliffs, N.J.: Prentice-Hall, 1966.

CAPLOVITZ, David. *The Poor Pay More.* Glencoe, Illinois: The Free Press, 1963.

CARNEY, Francis. *The Rise of the Democratic Clubs in California.* Nova York: McGraw-Hill, 1959. (Eagleton Cases in Practical Politics, n. 13)

CARROLL, Lewis. *Through the Looking Glass*. Nova York: Doubleday Books, Inc., 1960.

CLARK, Kenneth B. *Dark Ghetto*, Nova York: Harper & Row, 1965.

CLARK, Kenneth B. What Motivates American Whites? *Ebony*, Chicago, ago. 1965.

CLEAVER, Eldridge. My Father and Stokely Carmichael. *Ramparts*, abr. 1967.

DETWILER, Bruce. A Time to be Black. *The New Republic*, Nova York, 17 set. 1966.

DRAKE, St. Clair; CAYTON, Horace R. *Black Metropolis*. Nova York: Harper & Row (Harper Torchbooks), 1962.

DUBOIS, W. E. B. *Black Reconstruction in America*. Nova York: Meridian Books, 1964.

FANON, Frantz. *The Wretched of the Earth*. Nova York: Grove Press, 1963.

FRANKLIN, John Hope. *From Slavery to Freedom*. Nova York: Alfred A. Knopf, 1957. [Ed. bras. *Da escravidão à liberdade*: a história do negro americano, Rio de Janeiro: Nórdica, 1989.]

FRAZIER, E. F. *Black bourgeoisie*: The rise of a new middle class in the United States. Glencoe, Illinois: Free Press. Chicago, 1957.

GARFINKEL, Herbert. *When Negroes March*. Glencoe, Illinois: The Free Press, 1959.

GINSBERG, Mitchell. *The New York Times*. 10 maio 1967, p. 1.

GITTELL, Marilyn. *Participants and Participation: A Study of School Policy in New York City*, New York: The Center for Urban Education. In: *The New York Times*, 30 abr. 1967, p. E90.

GOMILLION, Charles G. The Tuskegee Voting Story. *Freedomways*, vol. 2, n.3, verão, 1962.

GORDON, Milton M. *Assimilation in American Life*: The Role of Race, Religion and National Origins. Nova York: Oxford University Press, 1964.

GUYOT, Lawrence; THELWELL, Mike. The Politics of Necessity and Survival in Mississippi. *Freedomways*, vol. 6, n. 2, primavera, 1966.

HAMILTON, Charles V. *Minority Politics in Black Belt Alabama*. Nova York: McGraw-Hill, 1962. (Eagleton Cases in Practical Politics, n. 19)

HOLT, Len. *The Summer that Didn't End*. Nova York: William Morrow, 1965.

JENCKS, Christopher. Accommodating Whites: A New Look At Mississippi. *The New Republic*, Nova York, 16 abr. 1966.

JONES, Lewis; SMITH, Stanley. *Voting Rights and Economic Pressure*. Anti-Defamation League, 1958.

JULIAN, Percy. *The New York Times*, 30 abr. 1967, p. 30.

KAHN, Tom. *The Economics of Equality*. Nova York: League for Industrial Democracy, 1964.

KAUFMAN, Arnold S. Murder in Tuskegee: Day of Wrath in the Model Town. *The Nation*, Nova York, 31 jan. 1966.

KEY, V. O. Jr. *Politics, Parties and Pressure Groups*. Nova York: Thomas Y. Crowell, 1964.

KILLENS, John O. *Black Man's Burden*. New York: Trident Press, 1965.

KILLIAN, Lewis; GRIGG, Charles. *Racial Crisis in America*. Englewood Cliffs, N.J: Prentice-Hall, 1964.

KILSON, Martin. *Political Change in a West African State, A Study of the Modernization Process in Sierra Leone*. Cambridge, Massachusetts: Harvard University Press, 1966.

KOTLER, Milton.
Community Foundation Memorandum n.6, The Urban Polity: remarks introducing a staff discussion on community foundations at the Center for the Study of Democratic Institutions. Santa Bárbara, Califórnia, 8 jan. 1965

LABOR-NEGRO Division Widens. *Business Week,* Nova York, p. 79. 9 jul. 1960.

MACHIAVELLI, Niccolo. *The Prince and the Discourses.* Nova York: Random House (Modern Library), 1950.

MEIER, August; RUDWICK, Elliot M. *From Plantation to Ghetto.* Nova York: Hill and Wang, 1966.

MINNIS, Jack.
The Mississippi Freedom Democratic Party: A New Declaration of Independence. *Freedomways,* vol. 5, n. 2, primavera, 1965.

MORGENTHAU, Hans.
Politics among Nations. Nova York: Alfred A. Knopf, 1966.

NICHOLS, Henry. *The New York Times,* 4 maio 1967, p. 23.

NKRUMAH, Kwame.
Africa Must Unite. Londres: Heinemann Educational Books, Ltd., 1963.

PERLMAN, Selig. The Basic Philosophy of the American Labor Movement. *Annals of the American Academy of Political & Social Science,* vol. 274, pp. 57-63, 1951.

PRICE, William A.
Economics of the Negro Ghetto.
The National Guardian, Nova York, 3 set. 1966.

RUSTIN, Bayard.
Black Power and Coalition Politics. *Commentary,* Nova York, set. 1966.

SCOTT, Emmett J; STOWE, Lyman Beecher. *Booker T. Washington, Builder of a Civilization.* Nova York: Doubleday, Page & Co., 1917.

SILBERMAN, Charles. *Crisis in Black and White*. Nova York: Random House, 1964.

SMITH, Philip. Politics as I See It. *The Citizen*, Chicago, 22 mar. 1967.

SORENSEN, Theodore. *Kennedy*. Nova York: Harper & Row, 1965.

THOMPSON, Daniel C. *The Negro Leadership Class*. Englewood Cliffs, N.J.: Prentice-Hall, 1963.

WATSON, Tom. The Negro Question in the South. *Arena*, vol. 6, 1892.

WILLIAMS, Robin M. Jr. Prejudice and Society. *In*: DAVIS, John P (Ed.). *The American Negro Reference Book*. Englewood Cliffs, N.J.: Prentice-Hall, 1966.

WILSON, James Q. The Amateur Democrat: club politics in three cities. Chicago: University of Chicago Press, 1962.

WILSON, James Q. The Negro in American Politics: The Present. *In*: DAVIS, John P (Ed.). *The American Negro Reference Book*. Englewood Cliffs, N.J.: Prentice-Hall, 1966.

WILSON, James Q. *Negro Politics*. Glencoe, Illinois: The Free Press, 1960.

WILSON, Woodrow. Reconstruction in the Southern States. *Atlantic Monthly*, Boston, jan. 1901.

WOODWARD, C. Vann. *Tom Watson: Agrarian Rebel*. Nova York: Oxford University Press, 1963.

YOUNG, Whitney. *To Be Equal*. Nova York: McGraw-Hill, 1964.

YOUTH in the Ghetto. Nova York: Harlem Youth Opportunities Unlimited (HARYOU), 1964.

Este livro foi composto pelas fontes Clarendon, Cooper Black e Minion Pro e impresso em agosto de 2021 pela Edições Loyola. O papel de miolo é o Pólen Soft 80g/m² e o de capa é o Cartão Supremo 250g/m².